集韻
二

集韻 二

五福五代堂古稀天子寶

八徵耄念之寶

太上皇帝之寶

八徵耄念之寶

太上皇帝之寶

集韻卷之二

翰林學士兼侍讀學士朝請大夫尚書吏部郎中知制誥判秘閣兼判太常禮院群牧使上護軍潁川郡開國侯食邑二千二百戶食實封捌佰戶臣丁度等奉

敕脩定

平聲二

虞第十 元俱切與模通　模第十一 蒙晡切

齊第十二 前西切獨用　佳第十三 居膎切與皆通

皆第十四 居諧切　灰第十五 呼回切與咍通

咍第十六 呼來切　眞第十七 之人切與諄臻通

諄第十八 朱倫切　臻第十九 緇詵切

文第二十 無分切與欣通　欣第二十一 許斤切

元第二十二 愚袁切與魂痕通　魂第二十三 胡昆切

痕第二十四 胡恩切　寒第二十五 河干切與桓通

桓第二十六 胡官切　刪第二十七 師姦切與山通

山第二十八 師閒切

十○虞㹤吴 元俱切說文騶虞也白虎黑文尾長於身仁獸也食自死之肉一曰安也度也助也樂也亦姓古作㹤吴俗作𩦠非是文三十二 鸆 鸆鳥名常在澤中象主守之官通作虞 麌 獸名爾雅麌牝麌 鸆雎鸆 鳥名山海經令丘山有鳥狀如梟人面四目有耳名曰鸆見則天下大旱或作雎鸆 禺 說文毋猴屬一曰日在巳曰禺中 鄅 地名 禑 福也 愚 說文戇也从心禺禺猴屬獸之愚者 娛 說文樂也 澞 爾雅陵夾水澞 湡 說文水出趙國襄國之西山東北入澞 堣 說文堣夷在㠱州陽谷立春日日值之而出引尚書宅堣夷通作嵎隅 嵎 山名說文封嵎之山在吴楚之間汪芒之國 隅 說文陬也一曰廉也 髃腢 膊前骨謂之髃髃或从肉 齵 齒重生 㷒 煑食也 鍝 鉀鋸也一曰鐻鍝鐢夷穿耳物 蝺 蟲名博雅蝺蝺魚伯青蚨也一曰蠘蝺似蟬而長味辛可食 鰅 魚名出樂

浪

喁噞喁魚口出入一曰聲也嵎山節也㾢博雅疣也㥥說文懽也琅邪朱虛有㥥亭䁩闕人名漢有周䁩

鰅鮈鰅魚名媀女字○亐于雲俱切說文於也象氣之舒亐从丂从一一者其氣平也一曰往也曰也亦姓或省文三十七迂

遠也曲也避也迃窻也盂盓說文飯器也方言盂宋楚之間或謂之盌一曰陣名亦姓或作盓釪錞釪樂器以和鼓通作于

竽䇘說文管三十六簧也或作䇘雩⿱羽亏說文夏祭樂于赤帝以祈甘雨也一曰吁嗟求雨之祭一曰遠為百穀祈雨或从羽雩羽舞

玗玙說文石之似玉者爾雅東方之美者有醫無閭之珣玗琪焉或作玙⿰酉盂宴也一曰能飲者飲不能飲者止䡴𨊿說文

輨內環靼也或从于虶蟲名方言蚰蜒趙魏之間或謂之蚨虶⿱𠂹亏艸木盛大皃芋艸盛皃䒵蒩䒵菜名似韭出塞下

杅桙器也春秋傳杅不穿一曰因杅匈奴地名漢有因杅將軍或作桙邘䢓國名周武王子所封河內野王縣西北有邘城亦姓

或作邪汙水名在鄭西南項羽擊秦軍汙水上𧘞衧說文諸𧘞也一曰大掖衣或作衧亦書作衧骬⿰骨亐廣雅髑骬缺盆骨也

或作骬謣誇說文妄言也或从夸吁歎也盱艸名爾雅盱虺牀秆禾不秀釫汲器⿱與盂

種樓田器或作盓○訏匈于切說文詭譌也一曰訏蓍齊楚謂言曰訏一曰大也文五十一誇謣妄言或作謣吁号歎也

驚也古作号盱䀿說文張目也一曰朝鮮謂盧童子曰盱或作䀿昫說文日出溫也煦眗煦瞜笑也或省⿰夸欠廣倉

欨欸樂通作盱欨呴說文吹也一曰笑意一曰欠也或作呴姁姁婾美也頨頨頨頭動皃聥張耳有所聞忓

㤢說文憂也或从夸通作盱疛㽳博雅病也或从亐通作盱冔⿰糸冔商冠名或从糸蓲煦也太玄陽蓲萬物⿰衤瓜大袑

謂之⿰衤瓜軤輨內環靼也扜指麾也⿱亶木車屬醧宴也旴晇日始旦也或作晇雩雩婁縣名在廬江

𠌶荂說文艸木華葉也或作荂⿸虍亐虎吼紆曲也周禮連行紆行李軌讀膴肉大臠嘔呴悅言也史記項

羽言語嘔嘔或作呴鮬魚名謳煦也莊子於謳欲化皃朐朐衍戎名在北地芋博雅大也謣謣與舉重勸力歌也

⿱艹盱藥艸蛇牀也煦方言煦煆熱也邘說文周武王子所封在河內野王是也肟肟眙縣名通作盱姱夸美皃或省

蒟芋也⿰阝句鄉名○紆邕俱切說文詘也一曰縈也亦姓文二十迃說文避也⿺瓦亐說文股瓦也李陽冰曰體屈曲扜說文

指麾也靬博雅靬謂之鞶鞰字林鞮也胡人謂之鞰⿰衤區袌頭衣陓藪名秦有楊陓在扶風汧縣西盓盤盓旋流

也雩䨓雩暴雨蓲艸名虶蚨虶蟲名蚰蜒也⿰酉盂宴也汚深也于大也禮況于其身穻牖也𥨍

山名 謣 妄言也 鰸 魚名 謳 齊歌也 ○區 虧于切說文踦區藏匿也一曰處也區屈也一曰五十曰區亦姓文十八 ⿰阝區

嶇 岴 說文敧也一曰嶇嶇不安或作嶇岴 ⿰足區 跛也 驅 敺 毆 說文馬馳也古作敺或作毆俗作駈非是 摳 褰裳也

軀 ⿰骨區 說文體也或从骨 鰸 說文魚名狀如鰕足長寸大如叉股出遼東 鮬 魚名似鮒子而黑俗呼為婢江東謂之妾魚 夸

姱 奢也或从女 蓲 蓲蕍華皃 嘔 嘔夷水名在幷州 鷗 水鳥 ○拘 佝 句 攣 恭于切說文止也或作佝句攣文二十三

斪 爾雅斪斸謂之定 捄 說文盛土於梩中一曰擾也引詩捄之陾陾一曰捊也 斞 ⿰臾丁 仇 說文勺也或作⿰臾丁仇

眗 眗 左右視也或作眗 蚼 蟲名方言蚍蜉齊魯之閒謂之蚼蟓 [illegible] 說文目邪也一曰矢長六指 跔 跔跔跳躍一曰偏舉一足

曰跂跔 俱 說文偕也一曰具也 駒 驕 說文馬二歲曰駒或作驕 岣 岣嶁衡山別名 𣐀 說文棸垂也 ⿰石瞿 磫礭礪石

鮈 鮈鯸魚名 痀 曲脊 救 禁也周官有司救劉昌宗讀 蛷 求 肌蛷蟲名或曰 萬 所以正車輪者 玃 也 軥 博

雅軛下曲者 枸 博雅枸蔞傘也 ⿰足具 足寒曲也通作跔 袧 襁袧山名 絇 纑繩絇也 區 艸木屈生曰區 ○劬 權俱切勤也文

七十 臞 癯 說文少肉也或作癯 痀 說文曲脊也 朐 胊 說文脯挺也一曰地名亦姓或作胊 跔 跼 佝 說文

天寒足跔一曰拘跔不伸或作跼佝 躣 忂 說文行皃或从彳 ⿺走瞿 ⿺走句 說文走顧皃或从句 絇 ⿸尸句 ⿰巾句 絽

說文纑繩絇也鄭康成曰絇謂之拘著舄屨頭以為行戒或作⿸尸句⿰巾句絽 衢 說文四達謂之衢 瞿 姓也 鑺 戵 戟屬或从戈

斪 斸 說文斫也一曰鉏名或作斸 ⿰石瞿 博雅磫礭礪也 欋 齊魯謂四齒杷曰欋 軥 車軛兩邊叉馬頸者 氍 氍

⿰爾毛 織毛蓐曰氍毹或从爾从渠 邭 說文地名 句 宛句縣名在濟陽一說宛即古宛濮句即瀆句縣處其䦨因名焉 灈 說文水出汝南

吳房入瀙 鴝 鸜 鵴 鳥名說文鴝鵒也或从瞿古作鵴 ⿰禾瞿 報也 鴝 鵬 或从朋 鳥左足白 狗 犸 ⿰扌馬

馬 ⿰瞿馬 爾雅馬後足皆白曰狗或作犸⿰扌馬⿰瞿馬 鼩 說文精鼩鼠也 ⿰黽句 ⿸局黽 說文鼅鼄屬頭有兩角出遼東或从局亦書作⿸局黽 蚼 蚼蟓蟲名蚍蜉

也一曰原蠶 蠷 蠷螋蟲名 蘧 遽 ⿱艹瞿 艸名爾雅大菊蘧麥或省亦作⿱艹瞿 葋 葋 ⿱艹劬 艸名爾雅葋芋熒或

作葋 姁 姁姁和好皃 鱹 魚名 鉤 鉤町西南夷國名 枸 立木也莊子若檝株枸 鮈 朐人名漢有鮈鮈 鞠 博

雅鞠軥䩞鞲也 ⿰目瞿 闕人名漢有⿰目瞿丘 ⿰扌瞿 ⿰扌瞿踈枝葉數布皃 翑 說文羽曲也 ⿰馬瞿 馬行也 ⿸广瞿 倉也 眗 眗町王西戎君長

號 嬥 蠻夷歌一曰女字 ⿰忄瞿 小也 ⿰阝句 地名在河南 眗 左右視 蒟 艸名實可為醬 ○敷 傅 芳無切說文施

[illegible]

也引書用敷遺後人一曰陳也散也或作傅文八十五 尃溥說文布也或作溥 鋪陳也詩鋪敦淮濆 擻張也揚也 藪

蒪華之通名鋪爲華皃謂之敷于寶說或作傅 荂華也 筟竹青皮 菩芣華盛皃或省 婄不肖 蓲

莔藘菔華皃或省 莩說文艸也一曰葭中白皮 麩麱麬說文小麥屑皮也或从甫从孚 稃粰䊇

䊇說文穭也一曰秠一稃二米或作稃柎䊇 秿禾穳也 𣞤𣞤欐木名葉如椿生吳蜀山谷中子上有鹽如霜 桴爾雅棟謂之桴

泭游柎坿說文編木以渡一曰庶人乘泭或作游柎坿通作桴 椨柎華蕚也或作扶 艀艀廣雅舟也

一曰艇短而深者或作艀 孚采附說文卵孚也徐鍇曰鳥之孚卵皆如其期不失信也古作采附 孵孵卵化也陸績曰自孵

而㲉从卵或从卩 俘說文軍所獲也引春秋傳以爲俘馘一曰取也 鳺鳺鴀鳥名鵓鳩也一曰一宿之鳥 殍𦕈餓死曰殍或从

耳 怤說文思也一曰悅也 姇美色 髺頫美髮謂之髺或作頫 毪鳥解毛曰毪一曰罽也 䞯𦐇博雅羽也一曰

細毛或从甫 筟說文筳也筳織緯者 紨繖博雅紨絺紬也一曰大絲曰紨或从敷 罦𦉼罘爾雅罦覆車也今曰翻車

有兩轅中施罥以捕鳥或从包从否 鯙蘆鯙魚名似鰌鰭而細文 豧說文豕息也 郛垺𡑮說文郭也或从土古作𡑮 鄜

大三九小七三五手

集韻平聲二 四

鄜說文左馮翊縣或作鄜 郙亭名在汝南上蔡 庯說文石間見也 苻艸之莩甲通作孚 蚹蛇腹下齟齬也 枹

艸名爾雅楊枹薊 駙博雅駙也 㲉鋢博雅培也瓦木燒者或从孚 懯懯懯急速皃 鵂鳥名山海經基山有鳥三首三

翼名曰鶘鵂 膊界埒也太玄福則有膊 瓇玞瓘璷美玉也或作玞 𤘬牛玄脣謂之𤘬 綒麤綢也 紑繒色鮮

𥻨粰粉餌或省 𡡾嫭娐女字或作嫭娐 捊擊也 ○膚肤風無切皮也美也或作肤文三十二 枹

說文擊鼓杖一曰枹罕羌縣名 跗趺胕跃足也或作趺胕跃 夫說文丈夫也从一大一以象簪也周制以八寸爲尺十尺爲丈

人長八尺故曰丈夫 扶側手曰扶春秋傳扶寸而合通作膚 妋貪皃 簠簠簋祭器 秩冉生稻 衭帙紩說文襲衭也博雅衭

襓劍衣一曰衣前襟或从巾从糸 鈇說文莝斫刀 玞碔玞石次玉山海經會稽山下多玞石通作夫 拊闕人名漢有張山拊 拊

椨不柎艸木房爲柎一曰華下蕚或作椨不柎 蘮艸名博雅地葵地蘮通作膚 邞說文琅邪縣一名純德 鵂

雂鳥名山海經基山有鳥狀如雞三首六足六目三翼名曰鶘鵂或从隹 痡病腫 鳺雃鵓鳩鳥名或从隹 鮇說文鮇魚也出

東萊 髺美髮 𩬍露髺 ○扶𢻑馮無切說文左也一曰相也亦姓古从攴文三十六 枎說文扶疏四布一曰木盛皃 榑

說文榑桑神木日所出榑柎艸木花房或作柎枹枹罕地名符說文信也漢制以竹長六寸而相合亦姓苻艸名爾雅

苻鬼目莖似葛葉員而毛子如耳璫一曰戎姓芙芙渠荷也通作扶蒉蒉茈艸名生下田根可食夫⿰言夫語端辭或从言

颫大風也通作扶⿰氵鳧水名出桂陽泭游編木以渡或作游通作柎[illegible]坿藥石白石英也一曰益也紨說文布也一曰

粗紬鳧鳥名說文舒鳧鶩也玸玉名䴸博雅[illegible]舂也瓿小罌蚨說文青蚨水蟲可還錢⿰衤夫⿰衤夫襓[illegible]衣通作夫

匍手行也⿰夫鼓鼓聲也書傳乃鼓⿰夫鼓譟罦⿱罒否覆車网也或从否涪涪陵地名鳺鳺鴀鳥名⿸疒府博雅短也

一曰病也郙縣名在琅邪肤希望也胕腫也⿰女府女字○無无亡武橆微夫切說文亡

也奇字作无无通於元者王育說天屈西北爲无或作亡武橆文三十八毋說文止之也从女有奸之者亦姓蕪說文薉也莁木名爾雅莁荑

殺蘠一曰白蕡⿱竹無黑竹也巫[illegible][illegible]說文祝也女能事無形以舞降神者象人兩褎舞形古者巫咸初作巫亦姓古作[illegible][illegible]

誣說文加也譕誘詞也⿰忄巫憮𢡺也方言楚曰𢡺憮郭璞曰物之行蔽或从無憮空也⿰忄某爾雅愛也膴無骨腊

瞴瞴瞜微視璑說文三采玉墲冢地𨻻說文弘農陝東陬也⿱罒舞⿱罒無罟屬或省鷡⿰巫鳥⿰巫隹鴮鷡鳥名

鶩也或作⿰巫鳥⿰巫隹蝥蟱𪓰蝥蟲名或作蟱⿱敄瓦瓦器務務婁邑名廡蕃廡艸木盛皃瞀雊瞀縣名在上谷芜

艸名⿰无攴撫也撫法也⿰石無⿰石甫⿰石無石也○須鬚詢趨切說文面毛也或从彡徐鍇曰借爲所須之須俗作鬚非是文二十四

䇓⿰立頁⿰立芻⿰立需說文待也或省亦作⿰立芻⿰立需需說文須也遇雨不進止須也引易雲上於天需一曰疑也俗作需非是⿰彡頁

[illegible]頭也繻緰愉繻說文繒采色一說帛邊也漢制以爲關門符信春秋傳紀履緰或从俞亦作愉繻嬃說文女字也引

楚詞女嬃之嬋媛賈侍中說楚人謂女曰嬃娶闕人名荀[illegible]子有閭娶子奢蕦艸名爾雅蕦臺夫須⿸鹿需博雅麛也嬬說文弱也一曰

下妻鑐⿰金須鏁牡也或作⿰金須隃陵名一曰越也襦短衣濡水名春秋傳盟于濡上⿰糹須廣雅絆也⿱竹須魚笱○

趨𨃐逡須切說文走也鄭康成曰行而張足曰趨或从足俗作趍非是文六鯫淺鯫小人皃趣養馬者周禮趣馬一曰嚮也

騶馳也取取慮縣名在臨淮○諏⿰言奏遵須切說文聚謀也一曰諮事爲諏或作⿰言奏文十三⿰口取[illegible]⿰口取不廉也嗺高皃

⿰山取⿰山取嵎高厓也一曰山石相向皃或書作㪋陬隅也娵星名爾雅娵觜之口營室東壁也掫擊也取取慮縣名娶

闕人名烏孫王岑娶緅青赤色⿰立取徇⿰立取羸也䠞足不相過○輸春朱切說文委輸也文九鄃說文清河縣隃陵名

俞漢侯國名欒布所封一曰人名莊子俞兒古之識味人毹毹毹氍毹織毛也或作毹毹䏴博雅䏴謂之㡔陌揄揄門
傾兒○毹毹毹毹雙雛切織毛蓐氍毹者曰毹毹或作毹毹文十七愉揄說文正耑裂也或从革樞
說文車轂中空蝓螋蠷螋多足蟲或作蝼鎪刻鏤蔬菌名爾雅出隧蘧蔬形似土菌生菰州中郭璞讀萸茱萸椒子聚生
成房皃溲博雅㬈也籍說文飯筥也受五升秦謂筥曰籍𣰽毛𣰽起皃八荒中有毛人如猴毛長𣰽𣰽東方朔說娶闕人名荀卿子
有閭娶子奢劊割也○樞舂朱切說文戶樞也文十二趎闕人名莊子有南榮趎筞博雅莽篗謂之筞袾祋
姝說文好佳也引詩靜女其袾或作祋姝軀骨名樞車轂空謂之樞蓲艸名嘔怒聲𧝊臯頭衣○
芻蒭窻俞切說文刈艸也象包束艸之形亦姓或从艸俗作蒭蒭非是文六犓說文以芻莝養牛引春秋國語犓豢幾何俗作犓非是
𣘙廣雅𣘙桊枸也㗙吡聲媰女字○朱鍾輸切說文赤心木松柏屬一曰丹也亦姓文十四邾地名漢衡山王吳芮所都
絑說文純赤也引虞書丹朱如此一曰赤色繒珠說文蚌之陰精引春秋國語珠以禦火災侏侏儒短人一曰伶侏古樂人名袾博雅
詛也咮說文鳥口也一曰䶄咮多言鴸鳥名似鴟𤝧獸名山海經耿山有獸狀如狐而魚鱗有翼名曰𤝧獳通作朱袾衣身曰袾

𨛼鄉名鮢魚名山海經魵鰅似鰕無足株株檽短柱通作侏硃丹砂○㑳莊俱切偛㑳小人皃文五𥟐博雅稯穰
謂之𥟐苴姓也漢有苴氏𦪆艆𦪆海船搊解也○殊慵朱切說文死也漢令蠻夷長有罪當殊之一曰絕也文十四銖
說文權十分黍之重也一曰十黍為絫十絫為銖几說文鳥之短羽飛几几然象形殳說文以投殊人也禮殳以積竹八觚長丈二尺建於兵車旅賁
以先驅杸說文軍中士所持殳也引司馬法執羽从杸𤖹𤖹樓過水版一曰橫木渡水洙說文水出泰山蓋臨樂山北入泗趎闕人
名莊子南榮趎𤭁方言罃陳魏宋楚之間曰𤭁茱說文茱萸茱屬朱朱提縣名在犍為鮢魚名似蝦無足株株梗木名可為
車輞陎陎𨻻縣名○雛鶵崇芻切說文雞子也一曰生蜀雛鳥子生而能自啄者或作鶵俗作雛非是文九𥟐廣雅稯穰謂之𥟐俗
作𥟐非是媰𡡄婦謂之媰崔子玉曰惠於媰嬬𧲿𧳜牡豕也或作𧳜騶𧇖廐御也一曰騶虞獸名或作𧇖㑳偛㑳
小人皃○儒傿汝朱切說文柔也術士之偁或作傿文三十濡漹說文水出涿郡故安東入漆涑一曰霑溼也或作漹襦
𧝓說文短衣也一曰㬎衣方言襦自關而西謂之袛裯或作𧝓繻帛邊也一曰細密網一曰綅繻羨繒皃嬬博雅妻謂之嬬一曰婦人弱
也懦愞說文駑弱者也漢倪寬懦於武或作愞嚅吺咮囁嚅言也或作吺咮顬耳穴動謂之顳顬臑

肱骨也一曰衣名襦者本取臑義 醹厚酒 䰭鬼䰭聲不止 麢麃子曰麢 獳朱獳獸名如狐魚翼 鱬魚名山海經即翼之

澤其中多赤鱬其狀如魚人面食之不疥 䞕火色一曰色惰也 燸溫也燒也 蠕蟲行皃 薷木耳 鑐金鐵銷而可流者通作濡

𠟿韋柔滑皃或作㓱 䝯幼弱也蜀也 檽樢梁上短木或作樢 ○株追輸切說文木根也文二十 邾

說文江夏縣 誅說文討也一曰責也 𢧵博雅殺也一曰戈名 𪎻穀名博雅䵅𪎻也 跦博雅蹢躅跢跦也一曰鳥跳行皃 袾

衣好也一曰衣身 𥟍博雅黐𥟍黏也 鼄蛛蟲名說文鼅鼄也或从虫 鴸𨾂鳥名山海經柜山有鳥狀如鴟而人手或从隹

禂爲牲祭求肥充也鄭康成讀 侏大也 𩦲夷國名通作邾 朝朝邦縣名 姝好皃 袾詛也 茱說文犛雙也

絑繒純赤 ○貙椿俱切獸名說文貙獌似貍者文五 𦔮欋耜也或从木 𧼯闕人名莊子有南榮趎 𨁴跙踰獸走

皃○廚重株切說文庖屋也一曰箭室一曰斯條國有廚木汁肥可用煑餅文九 躕𨇽跦跢踟躕行不進也一曰志往而行

止或省亦作跦跢 趎闕人名莊子有南榮趎 裯幮牀帳或作幮 幬幔轂之革也 ○慺僂龍珠切悅也一曰慺

慺謹敬皃古作僂文二十九 瞜眗瞜笑也一曰瞴瞜微視 膢䄄說文楚俗以二月祭飲食也一曰祈穀食新曰離膢一曰貙祭名或从示

大一又十二 小七二九十四

摟曳也聚也一曰挽使申通作婁 婁𡠪牽也一曰愚也亦姓古作𡠪 氀博雅氀罽也或書作𣬚 貗𧳜豕求子謂之貗

或从豕 鄋說文南陽穰鄉 鷜䳼鳥名爾雅鵱鷜鵝今野鵝或从隹 䱾魚名 蔞𦳝說文艸也可以亨魚一曰艸中之翹

翹者或作𦳝 鏤屬鏤劒名 漊漊漊雨皃一曰飲酒不醉 𦡫胅膢過水版 嶁岣嶁山巔也或書作嶁 瘻瘻痀傴脊也

屢數也詩削屢馮馮 劉殺也漢禮立秋有貙劉 𧳜獸名字林貗子也 樓離樓參差皃通作婁 螻天螻蟲名 廔

窻也 慮取慮縣名 ○俞容朱切說文空中木為舟也一曰然也亦姓文六十九 逾踰𧼯說文越進也引周書無敢

昏逾或作踰趍 揄行皃 渝說文變污也一曰渝水在遼西臨渝東出塞一曰本巴國亦州名 溲污也 愉婾說文薄也引論語私

覿愉愉一曰樂也和也或从女 鞧博雅餘也 㥚憂也 睮睮睮媚皃 覦說文欲也 闟闚闟私視也 窬說文穿木戶也

一曰空中 㬰䙝㬰面衣 牏築牆短版 堬冢也方言秦晉之間謂之堬 隃縣名在扶風 鄃地名 崳崳次山名在鴈門通

作瑜 瑜說文瑜瑾美玉也 瑍美石 𥓘硧一石名或作硧 貐猰貐獸名 榆木名說文榆白枌 楰木名說文鼠梓

引詩北山有楰 萸茱萸藥艸 𦵵𢈔薛莢艸名或省 蕍藥艸澤蕮也 萮蘛蓲萮華皃或作蘛通作蕍

篗黑竹 𧯠豆變色曰𧯠 臾說文束縛捽抴爲臾一曰善也一曰須臾不久皃 腴說文腹下肥也 瘐瘉病也或作瘉

揄擨說文引也一曰動也一曰邪揄手相弄或从歈俗作廠非是 歈說文歌也徐鉉曰渝水之人善歌舞漢高祖采其聲後人因加此字

犾欶犾犾呼犬子或作欶亦書作狖 諛說文諂也 褕說文翟羽飾衣一曰直裾謂之襜褕一曰衣美也 騟馬雜色 羭

說文夏羊牡曰羭一曰美也 蝓𧌙蟲名說文虒蝓也方言趙魏謂蠀蠹爲蠾蝓或作𧌙 穤色憒落通作渝 螸蟲名爾雅螸醜螸郭璞曰

垂其腴或書作螸 𦥔抭博雅杼也或作抭 䚃方言鶭陳魏宋楚之間曰䚃 愈勝也益也老子動而愈出 梌刺木也

愉緰裂繒曰愉或从糸 艅艅艅舟名 犏黑牛也南齊建武中賜蕭穎胄白犏牛 窬行閫 騪疾也 歈投也

喻嘔喻和悅皃一曰嗙喻歌也 貗𤜖豕求子或从犬 𨞺鄉名在絳 ○𩐝乃俱切字林兔子也文一

十一 ○模𣞤橅𢻭蒙晡切說文法也或从木丗亦作橅𢻭文二十一 摹𢻭說文規也謂有所規倣或从無亦書

作摸 謨謩𢝔譕說文議謀也引虞書咎繇謨古作謩𢝔譕或書作謩 膜胡人拜稱南膜穆天子傳膜拜而受 嫫

悔說文嫫母都醜也或作悔亦書作嫫 幏車衡上衣 𨡩𨡩酴榆醬 墲規度墓地也方言凡葬而無墳謂之墓所以墓謂之墲 膴

大一万十八
小七万六十二

集韻平聲二　八　林

無骨腊一曰法也 䉉竹黑皮 母熬餌也禮煎醢加于黍上沃以膏曰淳母 獏獸名 墓冢也 ○䅤秿滂模

切大豆也一曰穧也或从甫文二十 鋪說文箸門鋪首也一曰陳也 陠衺也 𢿍㪍𢿍屋欲壞 墲規度墓也 誧博雅

諫也一曰大也 痡說文病也引詩我僕痡矣 䮒馬名 𧾩趍𧾩匍匐也 𨁈馬蹀跡 豧豕息 鵏鳥名鵏也 鱄

鯆魚名博雅鱄鯆鮹也一曰江豚或从甫 捬說文捬持也一曰舒也擊拏也持也 柨蔽柨木名汁可食 敷陳也 庯石文見皃

𡛼女字 ○逋𨔿奔模切說文亡也籀从捕文二十一 𧼮趍𧼮伏也 晡日加申時 餔盙哺說文申時食一

曰歠也籀作盙或作哺 秿刈禾 庯庯㢊屋不平 陠博雅衺也 誧說文大也一曰人相助也諫也 捬展舒也 鵏

䧼鳥名或从隹 鯆魚名江豚也 鯆𩷴魚名尾有毒或从逋 峬峬峭好皃 痡病也 鋪設也 竨物之端

○蒲蓬逋切說文水艸可以作席一曰地名亦姓文二十 苻氏姓本作蒲至苻堅更改爲苻 蒱樗蒲戲也老子入胡作 䔕膊魚也一

曰雉脯肉 𥶪筶簿篨小竹網或作筶 荴扶荴藘收亂艸或从手 酺脯說文王德布大歓酒也或作脯 匍扶

說文手行也或作扶 蜅蟲名蛤也 𧼮趍𧼮伏也 艒艇短而深者 捬持也 㯷㯷剽縣名在武威 簠盛黍稷器周禮祭祀

共篕篕鮒小魚名莊子守鮒鯢鵏鳥膺前○蘇孫租切艸名說文桂荏也一曰薪艸曰蘇孳虞曰鳥尾也所謂流蘇者緝鳥尾垂之若

流然亦姓又州名文十三穌說文把取禾若也一曰死而更生曰穌通作蘇俗作甦非是蘇博雅磨蘇庵也酥䐹䣐

䣐酪屬或作䐹䣐醁蔬粗也鄭司農曰蔬食菜羹𤻧病也𢷿摸也𤎖𩻬爛也或作𩻬𣟖木名可染

○麤𡏭麈聰徂切說文行超遠也从三鹿篆从土或作麈俗作麁麄皆非是文十粗犃大也䟽也物不精也或作犃通作麤俗

作麤非是皻博雅皻皯皻也𧺹淺度也麤說文艸屨也怚心不精也史記怚而不信人通作粗䮣馬壯○租

宗蘇切說文田賦一曰畜也文八怚劇也趲走也苴葅鉏茅藉祭也或作葅鉏湫闕人名春秋傳魯有子服湫

租祖中地名在淮南○𨑰徂遣叢祖切說文往也退齊語或从彳籀从虘文十四殂𣦸𣨛𣧇

𢓊說文往死也引虞書放勛乃徂古作𢓊殂𣨛𣧇徂虘虎不柔且語辭詩匪我思且豠博雅豕也阼主階葅葄

葅茹艸名生下田可食或作葄○都䣝東徒切說文有先君之舊宗廟曰都引周禮距國五百里為都一曰揔也大也嘆也美也亦姓古作䣝文十二

闍堵說文因闍城門臺也或从土䣝賭勝曰䣝醏醬也肚胍肚大腹兒一曰推之大者故俗謂仗頭大為胍肚關中語訛為胍

大字十 小字七十

集韻平聲二

九

陸升

檛䑩牛牽舟謂之䑩篰竹名瀦渟水蔀艸名䰩山鬼○瑹瑹通都切美玉或作琜文十九𤪌

𤪌玉名山海經小華山其陽多𤪌瑹或作瑹峹山名庩庯庩屋不平稌稻也梌木名說文木出橐山悇憛悇禍福未定

也一曰憂也𧼮趗𧼮伏也鞣鞼鞣𩍂也樗惡木嵞吐也墫䧼坼也或从阜郱邿下邑𣊇日陰也

𨢛醬醶醬也捈博雅引也抒也○𨑢徒同都切說文步行也隸也亦姓隸作徒文五十六一曰空也眾也途墿爾雅路旅途也

或作墿通作塗涂塗泥也亦姓嵞𡸺說文會稽山一曰九江當嵞也引虞書予娶嵞山或省亦書作峹涂說文水名出益州牧

靡南山西北入澠鍍以金飾物通作塗荼𣘻說文苦荼也一曰茅秀郭璞曰荼樹小似梔子冬生葉可煮作羹飲今呼早采者為荼晚取者為

茗一名荈或作𣘻滁艸名爾雅滁虎杖稌䅷禾穗曰稌或从斜梌捈木名楸也或作捈筡篨說文折竹

箯也或作篨圖圗說文畫計難也一曰謀古作圗俗作啚非是屠說文刳也亦姓瘏說文病也引詩我馬瘏矣𢉖廜

博雅廜廯庵也一曰屋平曰廜或省酴說文酒母也𨢛醬醶醬也駼獸名說文黃牛虎文騊鵌爾雅鳥鼠同穴其鳥為鵌或作

鷋跿蹝跿跔跣也或从徒䳜鳥名爾雅鵌鷋鸅似烏蒼白色菟虪檡兔春秋傳楚人謂虎於

菟一曰菟裘魯邑或作𪉩檡免 郐𨝚說文郲下邑地魯東有郐城或从茶 鄌階說文馮翊郃陽亭或作階 捈說文臥引也

杜姓也晉有杜蒯劉昌宗讀通作屠 余檮余山名在匈奴 瑹美玉 庩庯庩屋不平 艅艓轉也 趓趓䞨伏也

悇苦憂也 滁山名在南郡 闍地名 𨝚地名 𧦴詢𧦴語不了 稌稉稻也今俗尚謂稌糜酒 𣥗止也

斁塗也周書斁丹雘 嵞艸名生水中 ○盧𥂝龍都切說文飯器也一曰貴酒區亦姓籀作盧俗作盧非是 文四十四 𧇡

𪔊鑪𤮐說文䍃也古作𪔊籀作𤮐亦从瓦 鑪爐說文方鑪也一曰火函或从火火所居也 壚說文黑剛土也 玈

黸𢐗黑弓春秋傳賜晉侯玈弓矢千或作黸𢐗通作盧 黸說文齊謂黑為黸 𩯠說文鬣也 顱髗說文頭顱

首骨或从骨 矑目童子 嚧嚧嚧呼豬聲曰呼嚧笑也 攎說文拏持也一曰引也張也斂也 𢿍敁𢿍欺也 𤺝

癰病 廬廡也 櫨說文柱上柎引伊尹曰果之美者箕山之東青凫之所有櫨橘焉夏熟一曰宅櫨木名出弘農山 桴黃桴木名可染

纑說文布縷也 瓐博雅碧瓐玉也 瀘水名出牂柯一曰州名 艫舟名說文舳艫也 轤轒轤井上汲水木 籚

廬說文積竹矛戟矜也引春秋國語朱儒扶籚一曰筐也大曰籚小曰籃或作𥴯 蘆菜名說文蘆菔也一曰薺根一曰葦之未秀者 蘆

蘆菖藥艸通作盧 獹博雅韓獹犬屬通作盧 鱸魚名 蠦蜚蠦蟲名肥蟲也方言守宮秦晉或謂之蠦蝘 鸕水鳥 𢿍博雅離也

鸕𪆾鳥名說文鸕鷀也或作𪇆 𤬛瓠𤬛瓟而圜者 勴助也 來徠也山東語 𪕋鼠名 ○奴伖仅農都

切說文奴婢皆古之辠人引周禮其奴男子入于罪隸女子入于舂藁徐鉉曰又手也持事者也古从人或作伖文十一 孥子也通作帑 帑說文金幣

所藏也 駑駘也 砮𥑮說文石可以為矢鏃引春秋國語肅慎貢楛矢石砮古作𥑮 笯籠也 努伮努力也或作伮 ○

胡頶咽洪孤切說文牛顄垂一曰戈戟內柄處一曰虜惣稱一曰何也壽也亦姓或作頶咽文六十二 乎虖說文語之餘也一曰

疑辭𥉐辭古作虖 壺說文昆吾圜器也象形从大象其蓋也亦姓 瓠器也爾雅康瓠謂之甈一曰瓠丘瓠讘並晉地名 葫蒜名一曰

蔛葫菰米也 𣟼棗大而銳上者為𣟼通作壺 瑚珊瑚似玉而赤色作樹形 鍸鈷黍稷器夏曰鍸商曰璉周曰簠簋或作鈷通作瑚

瓳博雅瓳瓳甂甈也 餬𩜚說文寄食也或从古亦書作𩚩 䉿餬說文鍵也或作餬通作餬 𪏮粘𪏮𪌛

糊𪌛粰𥹅說文黏也一曰煮米及麪為鬻或作粘𪏮𪌛糊𪌛粰𥹅 杇鋘鋙𨰋泥鏝也塗工之具或作鋘

鋙捸 醐酤醍醐酥之精液或从古 𤸎𤺉𤸎瘦物在喉中曰物螫也或作𤺉 嘝嗀嘝聲也 弧說文木弓也一曰往體寡來體

多曰弧箶竽竹名或作竽箛稜也𧙓衣褔也或書作䓡湖說文大陂也揚州浸有五湖浸川澤所仰以灌溉也

鰗海魚也似鯿而大鱗肥美多鯁一曰出有時吳人以為珍即今時魚泒漫泒水皃狐說文祥獸也鬼所乘之有三德其色中和小前大後

死則丘首亦姓鼰鼪猢說文斬鼰鼠黑身白腰若帶手有長白毛似握版之狀類猨蜼之屬或作鼪猢亦書作𪕱鶘鵜鶘鳥名好羣

飛沈水食魚鶦䧼鶦鸛鳥名似雉青身白頭或从隹喖喉咽也太玄爲嘏喖𡲢履也𨄴𨄴跪夷人跽節禮𦼫艸名

𥁮器也𤞏犬聲䩐䩐簏箭室通作箶𧋍蟬屬𡷉山名媩𡛥女字或从手𦊬冠名𦋔𦋔璭

帷張起皃○孤𡥤攻乎切說文無父也一曰侯王謙稱一曰負也或作𡥤文四十八辜酤姑說文辠也古作𡱈姑嫴

說文保任也博雅嫴㜅苟且也姑說文夫母也爾雅父之姊妹為姑一曰且也夃說文秦以市買多得為夃引詩我夃酌彼金罍酤說文一宿

酒也一曰買酒通作沽沽說文水出漁陽塞外東入海一曰水名在高密泒說文水起鴈門葰人戍夫山東北入海觚𨠍說文鄉飲

酒之爵也一曰觴受三外者謂之觚或从酉柧說文棱也一曰柧棱殿堂高處通作觚箛博雅笘箓箛也一曰竹簡小兒所書一曰方也

𥰮說文吹鞭也急就章𥰮篍起居課後先𥱼笟以篾束物或作笟苽菰說文雕苽一名蔣或作菰䓡說文艸多皃江

大苛丑辛小七ヲ合八

夏平春有菰亭𤓲菇王瓜也或作菇𡘾大也胍大腹𦚟胍𦜜埤倉𦝅𦜜大脯也軲博雅輅軲車也一曰山名亦姓

軱軱𩨨大骨一曰槃結骨皃呱㖻說文小兒嗁聲引詩后稷呱矣或从辜𨱇鏌𨱇矢名通作姑𣧛巫𣧛祠名在雲

陽越人祀之也一曰嬰兒病鬼為巫𣧛橭牡橭木名山榆也一曰橭梚木枝四布通作枯盬陳楚謂鹽池為盬罛𦊹說文魚罟

也引詩施罛濊濊或从孤鈲鐵鈲鴣䧸鷓鴣鳥名出南越其鳴自呼常南飛不北或从隹蛄蟲名說文螻蛄也枯茶也

𤬪𤬪鄠漢侯國名在河東估辜榷也結結縷艸名𧇊博雅息也皐橐皋地名在壽春孟康讀𨸝地名㤹

怯也○枯空胡切說文槀也引書惟箘輅枯木名也文十九姑說文枯也一曰熇也橭橭梚木四布刳說文判也挎

持也易刳木為舟禮挎越內弦侉博雅恇侉怯也扝方言扝揚傷也跍蹲皃弙滿引弓也郀郀首地名軲依軲山名

一曰輅軲車也亦姓鮬魚名胋博雅胋鴶鶔也胯博雅奎也奎著兩髀間骷廣雅骷髆骻也桍木名一曰空也𩑶

頷車鈷鈷鉼鞊篾也○呼戲乎戲荒胡切說文外息也一說於呼嘆辭亦姓或作戲乎戲通作虖嘑文三

十九虖謼說文嘑虖也或从言評說文召也通作呼嘑𡄷說文唬也或作雩亦姓歑說文温吹也虍

虖 說文虎文也一曰未見皃古作虖 䧣 說文鳥也 魖䖘 說文鬼皃或省 膴 說文無骨腊也楊雄說鳥腊引周禮有膴判一曰大也 幠芋 說文覆也一曰大也有也或作芋 侉 廣雅狂也一曰憂也 葫 菜名大蒜也 芋 艸名 滹濾㴸 滹池水名或作濾㴸惡滹浮通作虖 軤 姓也 盱䀘 張目也或作盱 晇 日始出皃 訏 博雅大也 垺 垺也 桴 木名 憮 憮然失意皃一曰傲也 鄜 地名 愇 愇怭夸誕也 嫭 婦人美皃 歑 喜也 ○吾 㕒 訛胡切說文我自稱也一曰御也一曰棒名亦姓古作㕒文三十九 吳吴 說文姓也亦郡也一曰吳大言也徐鍇曰大言故矢口以出聲古作吴俗从口从天非是 齬 齒不齊 娪 婢人美女也 鋘鋙 鉏鋙山名出金可作刀以切玉或从吾 瑘珸 博雅琨珸石之次玉者或作珸 梧 說文梧桐木一曰襯亦姓 䈘箬 竹名或省 菩蓓萗 說文艸也引楚辭有菩蕭艸或作蓓萗 浯 說文水出琅邪靈門壺山東北入濰 艅 船名 郚 說文東海縣故紀侯之邑也 峿嶼 嶇峿山皃或从吳 [犭吾] 猤 獸名如猿善啼或从吳 麌 獸名牡麕也 鼯鷡鼳 鼠名狀如小狐似蝙蝠肉翅亦謂之飛生又姓或作鷡鼳 蜈 蜈蚣蟲名或作蜈 鯃鰙 鯃魚名或从吾 鰞 魚之大者 牾 獸名 騕 騶騍馬名 襖 福也 洖

戎人名唐有鐵利蘇鞨溪地蒙 頊 大頭也 甋 說也 俉 魁梧壯大皃 ○烏於鄔綌 汪胡切說文孝鳥也孔子曰烏盱呼也取其助氣故以爲烏呼古作於鄔綌亦姓文三十四 惡 安也通作烏 鷡鶵 鷡鷋鳥名或从隹通作洿 鰞 鰞鰂魚名九月寒烏入水化爲之 蝸 蝸蠋蟲名似蠶通作烏 洿汙 說文濁水不流也一曰窊下或从干 杇圬釫槾 說文所以塗也秦謂之杇關東謂之槾或作圬釫槾 楊 楊桴木名青柿也出長沙 蔦 蔦蓲艸名荻也 弙 說文滿挽弓有所向也 扝 引也 鎢 鎢錥溫器 瑦 石似玉者 軥 博雅輻頭柳車也 歍嗚 說文心有所惡若吐也一曰口呴也或作嗚 鄔 縣名在太原 陓 搣陓秦藪名 螐 田蟲 弧 曲也周禮無弧深杜子春讀 雩 地名春秋傳秦人侵吳及雩婁陸德明讀 碼 小嶂 窏 窏洿甲下也 盓 盤盓旋流 剭 除田艸刀 趋 走輕皃 ○侉 尤孤切怪辭也文一

十二○齊 亝齊𠂢 前西切說文禾麥吐穗上平也象形一曰等也中也疾也水旋而深入也一曰國名亦姓或作齊亝俗作斉非是文二十 臍 說文朏臍也或書作臍通作齊 𪗉 好也材也 𪗊 說文等也 𤼽 爾雅病也 懠 怒也 嚌 鳥哀聲 𧖴 蠐螬蟲名或書作蠐 鱭 魚名出漢水似鯉而小 麡 獸名如麋角前俯入林則挂常在平野 銻鏤 說文利也或从妻 櫅 木名白棗

也濟濟濟祭祀容 𪗙闕人名列子𪗙偈周穆王車右 齌炊餔疾也 劑剸前劑也古作刎 ○西㢴卥卤

卤先齊切說文鳥在巢上象形日在西方而鳥棲故因以爲東西之西亦姓古作卥卤卤文二十七 棲栖鳥棲或从西通作西 屖

遲說文屖遲也或从走 粞米碎曰粞 𢬿說文𢬿撕也 撕提撕也 嘶馬嘶 澌流冰 燍煙燍焦皃 [illegible]

偍撕心怯也 誓說文悲聲也一曰善也或書作誓 嘶女皃 犀獸名說文南徼外牛一角在鼻一角在頂似豕一曰瓠中一曰兵器堅也亦姓

鷈鼠名 剸剸也 廝 澌說文散聲或作澌 郪郪丘地名在齊 𧡓斯瓦破聲或省 鑆鉀鑆短皃

𤼵痠𤼵痛也 ○妻 㛺千西切說文婦與夫齊者也从女从屮从又又持事妻職也古作㛺文十六 萋說文艸盛皃引詩萋萋萋萋

萋萋 淒說文雲雨起也引詩有渰淒淒 凄寒涼也 𩃥說文霋謂之𩃥 悽說文痛也 𪗵 䙳等也或作䙳

緀說文白文皃引詩緀兮斐兮成是貝錦 郪地名 鶈 𪀏博雅鶈鸔怪鳥屬或从隹 齌 𪗙炊餔疾也 雌牝也莊子猨猵狙以爲雌

棲棲棲簡閱車馬皃 ○齎 賫牋西切說文持遺也或作賫文二十八 齋說文材也 躋 隮 䶒

隮 𨻰 𡾊說文登也引商書予顛隮或作𨻰齊隮隮陖巻 懠 懠懠疑猶猜疑也或从賫 呰弱也 擠排也 擠

說文木也可以爲大車軸一曰白棗 𩞤 齏 𩞄 𪗉說文𩞤也鄭康成曰凡醯醬所和細切爲𩞤一曰擣辛物爲之或作齏𩞄齏通作齊俗作韲非是

齌炊疾 銻 鑴利也或从妻 麡獸名似麐 𥂤受黍稷器周禮贊王𥂤劉昌宗讀 搚插也 鈭博雅鉀鈭短也

鑇切也 嚌鳥聲 ○栘成韲切木名唐棣也文一 ○腝 䶑 𩠐人移切說文有骨醢也或从難从鬲文三 ○氐

都黎切戎種一曰宿名俗作互非是文四十一 低俛也下也 彽彽回疑不即進 隄 陧 堤說文唐也或作隄陧堤隄亦姓 岻

縞岻山名在青州 䃟黑石可染繒出琅邪 泜水名 衹說文衹裯短衣也方言汗襦自關而西謂之衹裯 揥捎也 觝獸角不正

一曰蟻蝨也 紙說文絲滓也 騠駃騠良馬 鞮 靮說文革履也或从氐 䏲埤倉䏲胵腹胅也 腣䐑腱強脂也

趆趍也 𨖵 𨖼說文彽不能行爲人所引曰𨖵𨖼或从奚 𡗿說文大也亦姓 鍉歃器一曰鋒也 䟡到也 柢木根

詆 呧訶也或作呧 䬫 𩜁䬫飼寄食也 緹赤縑 羝 牴說文羊也或从牛 騠驒騱駏驉類 趧說文趧婁

四夷之舞各自有曲 底至也 眡視皃 䫬頭垂下皃 𡸰嵋孤山名 罤罔也 姼女字 砥石也 蝭蝭蟧蟬屬 ○

梯天黎切說文木階也文十九 緹赤色 踶蹋也 䚷廬匱薄也 𧆨𧇖卧也一曰虎臥息微或从匕 睇視也

崹峿崹山皃 謕語相誘 鷈鯱說文鷈鯱也似鳧而小膏中瑩刀或从隹 虒殳唬聲一曰小笑 焍灼龜木 䫢顛䫢

頭不正 㓾削也 睇膌睇鼻不正 牗牌也 鵜鵜胡鳥名 㩗惆㩗怍也 ○題田黎切說文頟也一曰署也文一百十一

題䚦說文顯也或作䚦 睼睇迎視也或从弟 䁝眲小視也或作眲 唬啼嗁𠹗渧

諦說文號也或作啼唬𠹗渧諦通作謕 謕方言謰謱拏也南楚謂之詀謕 詆呧詆訶也或作呧 提說文挈也 媞㚹

媞媞安也一曰美好或作㚹 折折折安皃 禔博雅福也 褆說文衣厚褆褆一曰衣好 綈說文厚繒也 緹赤色 締

結不解也 㩗博雅惆㩗謂之怍一曰赤紙 㤢楚人謂懟曰惆㩗 罤兔網通作蹄 䈕簜竹名一曰竹器或省 蹏

蹄踶說文足也一曰蹋也或从帝从是 𧗌𧗔𧗌𧗔行皃或从奚 徲說文久也一曰後至 趧說文趧婁四夷之舞各自

有曲 鞮䩚革履或从氏 觝獸角不正 䚦臥也 醍䣡醍醐也或从氏 銻餌也宛豫謂之餹銻 䬳餹䬳

寄食 隄隄隄防或从定 崹峿崹山形崹漸平皃 媂女字 厗碮說文唐厗石也从厂厗省聲或从石 霋霋雲

謂之霋一曰雨止 㨖㨖也 𣽐漽米瀾也或从犀 題瓺博雅題甌瓨也或从弟 磃磃氏館名一曰磄磃怪石 榹

桑也今俗呼桑樹小而條長者爲女桑 𢑭脩豪獸 荑稊稊穇穉稊艸名說文荑英也郭璞曰荑似

稗布地生或作稊稊蕛䅠稊稊 䔑羊蹏艸名 荑苐苐說文艸也一曰卉木初生葉皃或作苐苐 惿惿慯心怯 銻說文鎕銻

謂火齊也 銕鐵謂之銕古以爲鐵字 褆衣名褅襠也 鎕鍗說文器也一曰釜屬或从帝 瑅珶瑅瑭玉名或从弟

鵜鵜鳥名說文鵜鶘汙澤也或从弟 鷤䴘鷈鳥名博雅鷤鴂子鵜也或作䴘鷈 鷉鳥名博雅鷉眉鷄也通作䴘

騠說文駃騠也孟康曰駿馬生七日而超其母 鍉歃血器 鼶鼶鼶鼬鼠名或从帝 䗖辟方丈 蝭蟕

蝭蝭蟧蟲名蟪蛄也或作蟕蟧 鮷魚名山海經少室山休水出焉其中多鮷魚一曰魚黑色 鮷鮧鯷魚名說文大鮎也或作鮧

鯷 是月邊也春秋傳是月者何僅逮是月也 蟬黏蟬縣名在樂浪 䕠蕛艸名或作蕛 蛦蟖蛦蟲名山雞也 䐟

膌胝腹肤 猅犬名 遆姓也 鷉鷉鷉鳥名 碮砧也 蠧食苗蟲名 䔶艸名蒿侯莎其子䔶通作緹 虒虒奚縣名

徲徥㞗徲休息也或作徥 ○泥年題切說文水出北地郁郅北蠻中亦姓文十 埿屖㘿塗也或作屖埿通作泥

坭埿說文反頂受水丘或作埿俗作坭非是 𧞣喪禮首服 腝臡有骨醢或作臡 呢呼也 ○黎菞

憐題切說文履黏也作履所用一曰衆也老也或作𥝩文四十六 䵩 犂 𥞕 說文耕也或作犂亦省 鑗 說文金屬一曰剝也 瓈

玻瓈王名 𨚑 郲 說文殷諸侯國在上黨東北引商書西伯戡𨚑或作郲 邌 說文徐也 黧 𪏝 黑黃也或作𪏝 䴡 䴡廔綺窻

也 莉 艸名一曰芘莉織荊障 蔾 說文艸也 藜 蒺藜艸名 蠡 蠡 𧓍 瓢也一曰蟲齧木中一曰谷蠡匈奴王號或作蠡𧓍

鯬 魚名埤倉鯬鯠鮔也 鱺 說文魚名通作鯬 驪 馬黑色 麗 高句麗東夷國名 欐 木名 騨 驪 騋 博雅

駹騨馬屬或从黎从犂 縭 說文䋫縭也一曰維也 鵹 䳲 鶩 鸝 鳥名說文鵹黃也一曰楚雀其色黎黑而黃或作䳲鶩鸝

𢤱 𢤱㦒欺謾語 蟄 蠫 蛂蟄蟲名似蝗大腹長角食蛇腦或作蠫 謧 謧詍多言也一曰弄言 䁻 視也 棃 梨 果名

或作梨 䔧 新䔧國名在匈奴北 𢡗 恨也 瓻 小瓶也 𤬛 姓 䕻 䔉 竹名或作䔉 醨 醨酒滓一曰酪母 ○

雞 鷄 堅奚切說文知時畜也籀从鳥文二十一 騱 爾雅馬前足皆白 禾 說文禾之曲頭止不能上 稽 䭫 說文留止也古

作䭫 卟 乩 說文卜以問疑也引書卟疑一曰考也或作乩通作稽 楷 木名如楓 枅 㮷 說文屋櫨也或从肩 笄 𥮝 說文

簪也或作𥮝 [illegible] 不名 䁥 躁視也 鍇 博雅鑿也 谿 蠐谿土螽似蝗而小 軿 車轓 𧍑 蟲名博雅蛾也一曰螢火

大[illegible]九 小七六十六 集韻平聲二 十五

嗘 嗘嗘聲也 婜 女字 ○ 谿 溪 嵠 磎 牽奚切說文山瀆無所通也一曰水注川曰谿或从水从山石文十七 𥄉

說文蔽人視也一曰直視或書作𥉌 [illegible] 說文凥也 鸂 騱 鸂鶒水鳥或作騱 繫 縘 說文繫縘也令惡絮或作縘 謑

謑髁不正皃 𧯅 博雅𧯅𧯈筲簇也 螇 𧓃 [illegible] 蟲名土螽也或作[illegible]亦省 䁯 目動也 檕 梅也 ○ 醯 䤈 馨奚

切說文酸也作醯以鬻以酒以鬻鬲酒並省从皿皿器也或作䤈俗作醢非是文十 榼 木名爾雅魄榽榼細葉似檀俗作榼非是 [illegible] [illegible] 黃病色或

从 欸 痛聲 忚 方言㦒忚欺謾也 㥩 㦒㥩赤紙 欵 歎息 訳 喜笑不止皃 ○ 兮 弦雞切說文語所稽从丂八象气越

兮也文二十五 奚 說文大腹也一曰阿也亦姓 胿 腣胿腹大 嫨 說文女隸也通作奚 傒 䑁人名春秋傳齊有高傒 謑 謑髁不正

皃 徯 待也 蹊 𤲞 徑也或从田 [illegible] 獸迹 騱 說文驒騱馬也一曰馬前足皆白曰騱通作奚 豯 說文生三月豚腹豯豯皃

通作豯 貕 貕養澤名在幽州 鼷 說文小鼠也一曰有螫毒者或謂之甘鼠春秋食郊牛角者是 [illegible] 說文水蟲也薉貉之民食之 螇

蟲名說文螇鹿蛁蠑也 蒵 艸名爾雅蘻莬蒵 榽 木名爾雅魄榽榼 嵇 山名亦姓 郋 說文汝南邵陵里也 谿 爾雅螇谿蟲似

蝗而小 徯 反戾也莊子婦姑勃徯 謑 謑詬怒也 [illegible] 東北夷名通作奚 䫣 頭不正 ○ 鷖 煙奚切說文鳧屬引詩鳧鷖在

梁文三十二鷖黑色馬翳羽葆也緊說文戟衣也一曰赤黑繒一曰詞也殹擊中聲𧝈𧝈袼次衣⿱殹言詒

方言欸⿱殹言然也或作詒嫛說文婗也釋名人始生曰嫛婗嫛是也言是人⿱殹土說文塵埃也⿱殹彡黑髮黟⿱殹木說文黑木也丹

陽有黟縣或作⿱殹木黳說文小黑子一曰黑也⿱殹石⿱殹玉美石黑色或从玉⿱殹羊黑羊一曰羣羊相積⿱契木⿱契女撕努揳歅闕人

名莊子有九方歅善相馬李軌讀猰⿰彳契猰貐獸名似貙或从犬踁仆也○倪研奚切說文俾也俾益也文二十四⿰亻兮伃俾

陽不知兒齯說文老人齒通作兒婗嬭說文嫛婗也一曰啼聲一曰婦人惡兒或作嬭䙅爾雅衣裗謂之䙅一曰女上服輗

⿰車宜棿說文大車轅耑持衡者或作⿰車宜棿鯢說文刺魚也郭璞曰似鮎四足霓說文屈虹青赤或白色陰气也通作蜺蜺蟲名說文

寒蜩也一曰似蟬而小青赤麑猊貎說文狻麑獸也一曰麑鹿子或从犬从豸鶂水鳥觬角曲曰觬一曰觬是縣名在西河郡

郳兒說文齊也引春秋傳齊高厚定郳田亦姓或作兒⿱契女⿱契女撕努揳⿰兒攴敤殷毀也⿸疒圭凝兒⿰羊兒羺䍿胡羊淣

水際也○鬩五圭切視也文一○圭珪涓畦切說文瑞玉也上圜下方公執桓圭九寸侯執信圭伯執躬圭皆七寸子執穀璧男執

蒲璧皆五寸以封諸侯从重土楚爵有執圭一曰六十四黍爲圭古作珪文二十八閨說文特立之戶上圜下方有似圭窐⿰巂瓦⿰離圭瓨

大一マ五字　小八マ七字　集韻平聲二　十六　長沙李春

甑空也或作⿰巂瓦⿰離圭瓨洼深也亦姓⿰圭句畦⿰圭句裂也邽說文隴西上邽也罣谷名在西縣⿰圭欠邪兒一曰聲也胿膍胿大腹

⿰耒圭說文冊叉可以劃麥河內用之一曰耕也茥艸名爾雅茥蒛盆也袿釋名婦人上服曰袿其下垂者上廣下狹如刀圭湀湀闢流川

也藈⿰豸瓜艸名爾雅鉤藈姑或作⿰豸瓜⿸鹿圭說文鹿屬鮭魚名山海經敦薨之水多赤鮭聧⿱罒癸乖也古作⿱罒癸蠲絜也

明也通作圭畦田起堳埒也挂別也莊子以挂功名一曰中鉤取物哇謳歌也鑴錐也○睽傾畦切說文目不相聽也

一曰乖也文十八聧方言聾之甚者秦晉之間謂之聧一曰私叶也奎說文兩髀之間一曰星名刲⿰扌奎⿰奎刂說文刺也引易士刲

羊或作⿰扌奎⿰奎刂⿰木奎鉏櫌也⿰盾圭說文盾握也一曰盾鼻⿰骨圭六畜頭中骨⿰足奎跬踽摶物兒⿱圭虫蟲名䗨也蝰蟲名蠶蛹

也茥艸名說文缺盆也藈⿰豸瓜王瓜或作⿰豸瓜⿰圭句⿰圭句裂也鍷鏈也湀水通川○睳翾畦切埤倉瘠人視

皃一曰健而無德一曰目瞢文四⿰阝雈鳥飛皃矆瞘矆面有垢睢睢睢元氣皃○攜玄圭切說文提也一曰離也亦姓俗

作擕非是文三十八⿰忄巂說文有二心也巂⿰巂鳥鳥名說文周燕也从隹屮象其冠也冏聲一曰蜀王望帝婬其相妻慙亡去爲子巂鳥故蜀人聞子

巂鳴皆起云望帝或作⿰巂鳥驨獸名爾雅驨如馬一角通作巂蠵⿰虫蒦䲅說文大龜也以胃鳴司馬相如作⿰虫蒦或作䲅鑴說文

覺也一曰日旁氣刺日 觿角錐可用解結通作鑴 劀博雅削也 𩑶 窐 甗瓺甑空也或作窐甗瓺 畦 𥊬

說文田五十畝曰畦或作𥊬 酅說文東海之邑一曰阨險名通作巂 蜀巂毒姓也一曰蜀闕梁四公子名或作巂毒 纗

纗說文維綱中繩或作纗 黊說文鮮明黃也 眭 瞗目惡視或从巂 䀅直視也或書作䀅 讗曰伐也 鑴方言

餽也 鬹說文鬹鬹也 瓗赤玉 巂一幅巾 梢枍梢燒麥具 移木名 㒞心不平 鞋系也 巂南鑴也

通作鑴 轠車輪轉一周為轠通作巂 ○烓淵畦切說文行竈也一曰明也或作㷗文六 甗甑空也 洼曲也莊子似洼

者 窐深也 䵷汙也 ○𨇻䟆邊迷切博雅𨇻豆䟆豆也或作䟆文三十六 芘 茈 蓖草名說文蒿也一曰蓖麻

或作 榑 椑榑櫛小木也一曰木下枝通作椑 梐 梐說文梐枑也或作梐 笓 篦 箄博雅篝笓謂之笓一曰可以約物或

作篦 榧 槐榧也 錍箭鏃 鎞釵也 幌也一曰車帷 紕 綼 紕并也事謬織疏也或作綼紕

箄 諀 誤也或作諀 䦸 䦸短也 陛 狴 箆陛牢謂之獄或作狴箆 梐栖也 觶牛角橫也 螕

蠶 說文齧牛蟲也或作蠶 椑椑榼欲器 性 懈 意併也或作性 媲嫛媲小皃 俾使也 𩲃齊也 貔貔豜獸名

大百卅七小六百卅六

崥崥𡸂山皃 ○𢷗 批 篦迷切說文手擊也或作批文十五 笓取蝦具 枇枇木或書作柴 鵧鵧鶏鳥名 刞 劕

削也或从𣬉 錍 鈚 鉳 鎞方言箭鏃廣長而薄鎌謂之錍或作鈚鉳鎞 砒 䃾藥石或作䃾 陛陛牢獄名

𨇻博雅踦也 ○鼙 鞞 鼙騈迷切說文騎鼓也或作鞞鼙文十九 䯗 膍 肶牛百葉也或作肶

楎 枇 枇杷木名 玭 珠也 椑說文圜榼也一曰齊人謂斧柯為椑 笓取蝦器 甈說文甖謂之甈 崥 崥𡸂

山皃 𧓉 蛤也周禮𧓉醢徐邈讀 批擊也助也 槺 榑櫛木下枝 砒藥石也 颾風也 蚍 蟲名如虎豆綠色 ○迷

緜批切說文惑也文二十八 㩐 㩐 批也或从手 蒾蒾藤草名葉似榆 𥨉 𥨉䆀驚 罙 罙 罙深入也或作罙罙

醽 麴蘖謂之醽 𩓽 𩓽頭垂皃 𨘻 鹿跡一曰鹿麋 𥈞 覛 說文病人視也或作覛 𡜋 婗齊人呼母或作

婗 䃉 䃉白生醬酢上 麛 麑 麛 麛 說文鹿子也或从兒从弥从巂 𪚰 𪚰 𪚰 𪚰屬龜屬如龜而多膏或

作𪚰 瓕 瓕弭嬰兒 簩 竹 謎 詸 言惑也或作詸 悇 憃 心惑也或从迷 ○隄 堤 直兮切防也春

秋傳弃諸隄下沈文 ○瞇 扶畦切深目皃文二 㚷 傾頭作態也 何讀或从土文二

㪡鰈也 砎小石 ○柴鉏佳切說文小木散材徐鍇曰師行野次豎散木爲區落名曰柴籬亦姓文十三 祡䃍說文燒柴焚燎

以祭天神引虞書至于岱宗祡古文从隋省通作柴 茈𦯓茈葫藥艸或作𦯓 齜𪗆說文齒相齘也一曰開口見齒皃或書作𪗆

喍喍喹犬鬬皃 ⿸疒柴瘦也 𢪃積也 輂𨏶說文連車一曰卻車抵堂爲輂一曰塞也或作𨏶 𤿭博雅𥅍𤿭裂也

槎衺斫也春秋國語山不槎蘖 ○扠摣摣佳切以拳加物或作摣文二 跐蹋也 ○𧢲居佳切𧢲羺胡羊文四 掜

𤜕也 誽埤倉詿誽言不正 腉楚人謂乳爲腉𣪓 ○摣莊蛙切擊也文一 ○䓙仄佳切艸名地黃也文一 ○䟿𧀲佳

切蹟䟿行𤔕戾也文二 㥒㥒㦣自容入也

十四○皆㫐居諧切說文俱詞也或作㫐文二十八 偕說文彊也引詩偕偕士子 階堦說文陛也或从土

𤭳壯瓦謂之𤭳 楷木也孔子冢蓋樹之者 薢艸名爾雅薢茩英茪 荄說文艸根也 𦼚 稭禾稾去皮顈或作秸

䬐疾風也通作喈 湝說文水流湝湝也一曰湝湝寒也引詩風雨湝湝 鍇白鐵謂之鍇 瑎黑石似玉 䃈石名 䐇

說文䐇也 痎說文二日一發瘧 喈說文鳥鳴聲一曰喈喈和聲 嚌嚌嚌衆聲 鶛𨾴鳥名爾雅鶛其雉鶛或从隹

蝔蟲名猥狗也知雨則翳葉 㙈壇級 祴堂涂鄭康成曰君今令辟祴 䈥黑竹 核木名蠻夷以其皮爲篋 㛼女字

○揩𢻰丘皆切揩摩𢽷也或作𢻰文五 𦀷說文大絲也 𢓭徘𢓭行惡 𥺋米别名 ○俙休皆切說文訟面相

是文二 𧳜獸名 ○㨟挨英皆切推也擊也或作挨文四 唉應聲 𪐊深黑色 ○諧雄皆切說文詥也文十四

龤說文樂和龤也引書八音克龤通作諧 骸說文脛骨也 瑎說文黑石似玉者 䕌艸名如薔 𩯳𩯳𩭠也 湝水流皃

䮙說文馬和也 ○蝔蟲名將雨輒出淮南呼爲雨母 偕偕偕強壯皃 梩博雅梩臬臿也 鍇九江謂鐵爲鍇 𢿳栽至也

䃈石名 ○𩂢宜皆切南陽謂霖曰𩂢文一 ○𠦨乖乖公懷切說文戾也睽也或作𠦨乖文九 𦫳羊角也

𠦬說文背呂也象脅肋形 𤺋疥疾 絓博雅紬也 𦳂艸名 𥔥碎也 ○匯枯懷切水回爲澤文六 擓擓

博雅擓抆拭也或省 𠠄𠠄𠠃有力皃 䈠竹箭 闀門邪也 ○𢗕𤸤呼乖切𢗕𩠐馬病或作𤸤文六 儧順也

傀大也莊子達生之情者傀 俙訟面相是也 豨獸名 ○崴烏乖切崴嵔不平也一曰山形文十 碨磈壞碨磑

石不平皃或作磈碨 瀤㴩瀤水不平皃 溾溾湋濊濁也 𪉦𪉢𪉟鹽𪉦或鹽也或作𪉢𪉟 洼曲也莊子似洼者 ○

高皃蘶艸盛皃○䡅輡通回切車盛皃或作輡文十四焞焞焞盛也通作啍啍氣出皃一曰啍譯語不正[illegible]

𤋱以湯除毛或从推推說文排也一曰進也蓷艸名說文萑也引詩中谷有蓷蘈艸名牛蘈也高尺餘方莖葉長穗間有華紫

縹色可以為飲屡𡲗方言履粗者謂之屡一曰履有踵者或从妥妥綏安坐也一曰執器下於心或作綏讉江南呼欺曰讉○

穨徒回切說文禿皃一曰暴風文三十五隤頹穨墤說文下隊也或作頹穨墤通作穨𢉾屋傾下或

作𢉾蹪楚人謂蹪仆為蹪膭膗膭屋壞皃檓樻棺覆也或从木僓他僓馬病俗作𩦲非是㿉𤻲𤺋

𤵂倉頡篇陰病或作㿉𤺋𤵂讙𧬄說文謙也或作𧬄謉謙也蘈蘈牛蘈艸名或從頹僓頂也騅

說文神獸也騩白馬䳫鳥名䳫也𢡟怨也傀偉也㣈弟靡不窮皃一曰遜伏盔器名䫥風也饋餽饋

餌名膏米和蜜蒸之譯啍譯語不正𨗨雷也㑈㑈佃不進皃惟縱弛也○獿優奴回切古之善塗墍者一曰獿

杸拭也或从人通作㥏文七挼捼手摩或从妥䤦字林一䤦飯㥏以巾拭墀也甤艸木子垂皃○䨻靁

畾靁䨓靁雷盧回切說文陰陽薄動靁雨生物者也亦姓籀文靁間有回回靁聲也古作𩇓𩆗𩆝𩂩靁文三十六

儡說文相敗也一曰同也櫑罍𥂎鑘𦉪說文龜目酒尊刻木作雲雷象象施不窮也或从缶从皿从金籀作𦉪亦

書作𨰜鑸瓃𤩰說文玉器也或作𤩰鐳古鉼也礧擊也石轉𤮆屋穩瓦也𦋺罍網百囊者

或从雷轠轠轤不絕皃勵勉也或書作勥𢺪攂研物也或省畾田間地謂之畾鸓𪈥飛生鳥名籀作鸓

儽儽儽敗也一曰敗也郻地名櫑木名𢿢推也澑澤名通作雷纍緰也𩲄雷鬼鈙鑽也○㩡

穌回摧隤屋壞也文十六挼擊也推也鞴鞖鞌垂帶或作鞖毸毰毰毸鳳舞皃或从崔嗺嘍促飲也或从妥

蓑萑華葉下垂皃或作蕤髮髦髮亂縗編鷩羽為衣鏙器名饘飯也綷五色雜熣熣煤火煙塵○

崔倉回切齊邑名因封為姓文十五陮𤗚陮隗崩也或从片催說文相擣也引詩室人交徧催我一曰促期𢓜行急皃

趡遍也縗衰𧝑說文服衣長六寸博四寸直心或作衰𧝑誰就也譙讁也榷木名𨄮蹴蹝急甚也宋惟幹說

萎艸木葉萎皃婎女字○嗺祖回切嗟也一曰嗺頼口動皃文十摧爾雅至也方言摧詹楚語朘屡

䘒赤子陰或从尸从血屡𡲗粗履不借也或作屡挼博雅按也欈木節也或作樶○摧昨回切說

[illegible]

㩉 古文 [illegible] 也 [illegible] 或作 [illegible] 也 [illegible] 或本作 [illegible]

[illegible]

文擠也一曰捐也折也文十四 漼漼漼溰雪霜積聚皃或从仌 ⿰牛崔牛白色 ⿰米崔精米 崔嶊磪說文大高也或

作嶊蓶文作磪 慛博雅慛慛悲也 槯木名 檇以木有所擣也 催沮也通作摧 ⿰言崔就也 墔墔堆土聚皃○

桮⿰金舌杯盃⿰缶不⿷匚丕⿷匚否晡枚切說文䀇也蓋今飲器或作⿰金舌杯盃⿰缶不⿷匚丕⿷匚否文十三 ⿰爿咅⿰爿不版也或作

⿰爿不 ⿰崩阝地名在郪縣 伾山名 棓姓也漢有棓生蘇林讀 ⿸疒盃弦 ○ 胚⿰女丕鋪枚切說文婦孕一月也或从女文

二十六 衃說文凝血也或書作盃 坏說文丘再成者 砙培瓦未燒者或作培通作坏 坯伾岯⿰缶不

爾雅山一成或作伾岯坯 ⿱髟不鬆多須皃 醅⿰酉不說文醉飽也一曰酒未𣳚或作⿰酉不 ⿸疒咅博雅胗⿸疒咅創也一曰弱也 ⿰魚不魚名

一曰魚𩵋未成鮭 秠䅭粉麪爲劑 ⿰咅瓜瓜瓿也 抔手掬也 婄博雅娸婄醜也一曰婦人皃 ⿰女缶好色 垺陶器範一

曰大也 阫牆也莊子日中穴阫 膊界埒也太玄福則有膊 啡唾聲 ⿱不肉肉醬未成醬 ⿱丕女人無行 ○ 裴蒲枚切說

文長衣皃或書裵文二十七 𨛦說文河東聞喜縣亦姓一曰伯益之後封𨛦鄉因以爲氏後封解邑乃去邑从衣故今姓作裴 俳徘徘徊便旋

也或从彳 培說文培敦土田山川也通作陪倍 ⿰崩阝⿰崩刂說文古扶風鄠鄉又沛城父有⿰崩阝鄉或作⿰崩刂 倗說文輔也亦姓 婄婦容

棓姓也漢有棓生 掊克也 毰毸毰毸毛羽皃或从陪 ⿰片咅博雅版也 ⿰不頁⿰丕頁⿰否頁說文曲頤也或从丕从否

輫車箱 紑衣絜鮮皃 倍負河神名一曰倍尾山名或作負 阫坏牆也莊子日中六阫或作坏 踣頓仆也

陪說文重土也一曰滿也臣也 陫山名 ⿱艹⿰氵非艸名 ○ 枚莫杯切說文榦也可爲杖引詩施于條枚一曰枚箇凡也亦姓文三十

梅楳某槑果名說文枏也可食亦姓或作楳某槑亦書作𣐿 莓艸名爾雅葥山莓 媒說文謀也謀合二姓

禖說文祭也古者求子祠高禖亦姓 腜說文婦始孕腜兆也一曰腜腜肥也 脢胲骸膴說文背肉也引易咸其脢一曰

心上口下也或作胲骸膴 玫說文火齊玫瑰也一曰石之美者 鋂說文大瑣也一鐶貫二者引詩盧重鋂 ⿱罒每說文罔也 煤炱灰

集屋者 ⿰土每塺塵也或作塺 ⿰米每酶酒本曰梅或从酉通作媒 ⿰某鳥誘取禽者 ⿰酉某醞也 ⿰氵某⿰土某壞也或作媒

⿰魚每魚名 ⿱屮毋每艸盛上出也隸作每 ⿰王每玉名 ⿰豆尾豆其下葉也

十六 ○ 咍呼來切說文蚩笑也文八 ⿰蚩欠欸欸欸戲笑聲或作欸 ⿰卯殳毅段剛卯也 ⿸疒台病也 誒說文可惡之辭

唉歎也 欸飲也 ○ 開閞丘哀切說文張也一曰姓也亦州名古作閞通作闓俗从井非是文十二 痎瘧疾 闓明也

毅毅殳剛卯也 侅奇侅非常也 㱚博雅多也 奒大也 烗熾也 䤤器名 㨟獸名 暟照也 ○該柯開切說文軍中約也文三十四 晐說文兼晐也博雅晐皆咸也通作該賅 齸䝨牙謂之齸或从牙 䐩肥也一曰六畜胎曰䐩

胲骸說文足大指毛也或从骨 䚌觸也 餀方言餡謂之餀 祴裓說文宗廟奏祴樂或从衣通作陔 侅說文奇侅非常也通作賅 賅貨也 姟數也十兆曰經十經曰姟 垓畡說文兼垓八極地也引國語天子居九畡之田或从田 陔說文階次也一曰隴也

郂說文陳留鄉也 峐爾雅山無艸木曰峐 荄艸根通作核 核說文蠻夷以木皮爲篋狀如籢尊 絯博雅纆絯束也 𩫖汔也危也 剴字林鐮也一曰摩切 殪博雅殪膜胎也一曰殺羊出其胎 豥爾雅豕四蹄皆白豥 頦博雅䫓頦醜也

咳音咳漢倉公脉書通作胲 痎痁瘧也 隑方言隑企也江南人呼梯爲隑 毅說文毅殳大剛卯也以逐精鬼 㱚多也 晐目大兒 奒大也 ○咳孩孫嘊何開切說文小兒笑也古从子或作孫嘊文十五 䫓頤顄也通作頦 頦說文醜也

馰馬一歲 郂邑名 骸麧也一曰麋中塊也 骴骯骴體 揩觸也 趩說文留意也一曰將走有意留 豥豕白足 鱧魚名博雅鯆鮐雄曰鮐鱧 侅飲食至咽曰侅莊子侅溺於馮氣 ○哀於開切說文閔也亦姓文九 唉說文譍也

欸說文訾也一曰然也 埃說文塵也 娭博雅娭熭也一曰熱甚 毐妻人無行或作妻 誒可惡辭 娭婢也 ○皚䨟豈魚開切說文霜雪之皃也或从雨从夊文二十六 荳乾菜 隑博雅脩長也 嵦崍嵦山皃 軆躴軆

𩪘身長 體頪體頭長皃 䃀博雅礔也一曰䃀磑高皃一曰磨也 趩留意 敳說文有所治也一曰隱敳高陽氏子名 䐩肥皃 齸䝨說文齸牙也或从牙 鱧鯢鱧壯蟹 瘖病也 殪說文殺羊出其胎 𧯚瘊癡也一曰憸獃失志皃或作瘊

豥豕白足 𩫖爾雅汔也言相摩近通作剴 剴鐖說文大鐮也一曰摩也或作鐖 駭麧也 䑓船名也 譩謹也 ○黱當來切黱黱大黑皃文六 𤛵博雅牛羊無子 懛懛獃憸悅也 鬙鬙髮毛亂皃 睞荒田 ○胎

殆湯來切說文婦孕三月也一曰始也或作殆文二十一 台能三台星名或作能俗作䏶非是 邰斄𨞷斄斄說文炎帝之後姜姓所封周棄外家國右扶風斄縣是也引詩有邰家室或作斄𨞷斄斄 怠懈也 鮐魚名 紿絲緼也 蛤蟲名黑貝也 珆龍文之圭曰瓏玲

唸唸嚀語不正 鬌鬐鬒婦人僞髻 嬯儓鈍劣皃或从人 駘孤駘邾地一曰臺駘汾神 治水名漢書鴈門累頭山治水所出東至泉州入海 炱煤塵也 譺諰也 ○臺𡊾㙜臺堂來切說文觀四方而高者亦姓古作𡊾或省俗作臺非是

東至泉州入海亦出……也○……

……

文二十四 儓方言南楚凡罵庸賤謂之田儓一曰陪儓臣也 嬯說文遲鈍也闒嬯亦如之 駘說文馬銜脫也一曰駑馬也一曰駘蕩曠遠也

擡博雅擡摡動也 鮐說文海魚也 跆蹴手而歌曰跆跆通作駘 菭苔箈治說文水衣或省亦作箈治 蛤蟲名字林

黑貝也 薹艸名夫須也一曰芸薹菜名 䈚說文竹萌也 檯木名 臭說文灰臭煤也或書作炲 黱黱黛大黑 駘

鳥名 台台背大老也鄭康成曰大老則背有鮐文通作鮐一曰台谷地名 詒懈倦皃莊子誒詒為病李軌讀 籉笠也可以禦雨 [illegible]哈[illegible]

語不正 [illegible]誒[illegible]也 ○能囊來切爾雅鼈三足一曰獸名亦姓文四 [illegible]病也一曰儜劣 [illegible]鬡鬇毛亂皃 熋熱也

○來徠逨趚郎才切說文周所受瑞麥來麰一來二縫象芒朿之形天所來也故為行來之來引詩詒我來麰亦姓古从

彳从辵从走文四十一 棶麳𪍃說文齊謂麥曰棶或作麳𪍃亦从二來通作釐 釐除艸也通作萊 萊說文蔓華也一

曰姓也亦州名 睞舊場也休不耕者通作萊 郲城名在滎陽縣東齊滅之一曰蜀地名亦姓 斄庲𣭚𦃇說文強曲

毛可以箸起衣古省或作𣭚緌 淶說文水起北地廣昌東入河并州浸 崍山名中江所出 𡍬說文坴墳壬也或書作球 犛氂

說文西南夷長髦牛也或从毛 騋說文馬七尺為騋八尺為龍引詩騋牝驪牡 𧳋猍獸名方言貔陳楚江淮之間謂之猍或从犬 鯠

大一單八 小七六十一

𩵛鯠魚名魟也 鶆鳥名字林鶆鳩鷹也郭璞讀爾雅以為鶆字之誤 棶木名材中車輞通作來 庲博雅舍也一曰長庲齊臺名庲降蜀地名

瘷久疾也 𪐺𪐺黱大黑 賚與也尚書夢帝賚予良弼徐邈讀或書作睞 斄地名在扶風美陽通作斄釐 睞目偏也

[illegible]階也一曰[illegible]隑長皃 箂竹名 𦓾耕也 婡女字 唻聲也 覶視也 頛頛䫌頭長皃 [illegible]至也勤也 倈

玄孫之子為倈孫通作來 ○鰓桑才切魚頰中骨文十二 [illegible]思[illegible]鬚多須皃或作思 顋頷也俗从肉非是 毸

毢毢毸鳥羽張皃或从思通作鰓 [illegible]鳥名 䚡說文角中骨 [illegible]意不合也 揌博雅揌摡動也 粞𥻘

碎米或作𥻘 ○猜倸倉才切說文恨賊也或作倸文七 𧺆說文疑之等𧺆而去也 偲說文彊力也引詩其人美且偲 䁒

職博雅䁒睞視也一曰睞也或不省 揌擇也 ○哉才將來切說文言之間也一曰始也古作才文二十二 烖灾

𤆏災𤆎菑𤇆說文天火曰烖或从宀从火从巛从乃亦作菑𤇆 鼒鼎圜弇上 巛說文害也从一雝川引春秋傳

川雝為澤凶 𢦏說文傷也 栽䕁載生殖也或作䕁載 [illegible]方言籥也 [illegible]國名在陳留郡 渽㳲

水名禹貢蒙山谿大渡水東南至南安入渽或作㳲 䁒睵博雅視也或作睵 甾廣雅甾拚棄也 ○裁牆來切說文制衣也文十

說文屋宇也賈逵曰室之奧者後人指帝居曰宸 宸 重脣也 臣 恖 說文牽也事君也象屈服之形一曰男子賤稱唐武后作恖 郘

說文地名 𨛭 姓也 𣪠 𢾅 喜而動皃一曰擊也或从攴 侲 童男女也 鷐 𨾚 說文鷐風也或从隹通作晨 麎

說文牝麋也 桭 柍桭屋端也 䋾 繖也 莀 說文艸也 蔯 艸多皃 愼 獸五歲爲愼鄭衆說 陙 小阜 ○ 神

神 䄠 乘人切說文天神引出萬物者也古作䄠又姓文六 䰠 說文神也 晨 脣 旦也或作脣 ○ 人 𠈌 𡈼

而鄰切說文天地之性最貴者也古作同唐武后作𡈼文十一 儿 說文仁人也古文奇字象形引孔子曰在人下故詰屈 朲 字林屋間木人 仁

忎 𡰥 說文親也亦姓古作忎𡰥 紉 合縷也 秂 禾欲結者 芢 艸名 ○ 辛 斯人切說文秋時萬物成而孰金剛味辛

辛痛即泣出从一辛也又辛辛辠也亦姓文九 新 說文取木也一曰初也亦姓 薪 說文蕘也一曰大木可析曰薪 信 引革也周禮革引而信之

欲其直也劉昌宗讀 呻 吟也 㾕 寒病 伸 展也 㛛 女字 莘 細莘藥艸 ○ 親 寴 亲 𡜗 雌人切說文至

也一曰近也古作寴亲或作𡜗文七 儭 父母稱通作親 瀙 水名在南陽 櫬 木名王蒸也 ○ 津 𦨶 𣶒 𦩎

𨖼 資辛切說文水渡也古作𦨶𣶒𦩎𨖼文十七 𦘒 說文𦘒飾也俗語以書好爲𦘒 盡 說文氣液也从血𦘒聲或書作盡 𧖴 盂也

璡 說文石之似玉者 𦽳 艸茂也 樼 琴瑟聲 溱 棠棗木汁可以染 蓁 𦿛 首戴物皃爾雅蓁蓁戴戴也或作

𦘒 𤥞 𤤼 玉名或省 𤦀 潤澤也 ○ 秦 㯫 𥟑 慈鄰切說文伯益之後所封國也地宜禾一曰禾名亦州名又姓籀作秦

古作𥟑文九 螓 蟲名似蟬而小 㸣 牛名 蓁 艸名 榛 木名 𣋑 旦也關中語 ○ 繽 紕民切繽紛亂也一曰盛皃文十二

翸 翸翁飛皃 𪆷 鳥名 闠 說文闠也从門 𢅏 衣敝皃 𩴆 鬼皃 驞 驞駍衆聲 䚔 覕䚕暫見 馪 香氣盛皃

𢡅 心伏也 磌 碎石聲 𠛒 分也 ○ 賓 賔 𡧍 賓 賔 卑民切說文所敬也一曰導也服也古作賔𡧍

賔賔又姓文二十二 儐 敬也孔穎達曰賓以禮曰儐 䫒 頭憒也 矉 恨視 𧢦 覿䚕暫見 𩴆 說文鬼皃 鑌 利鐵也

檳 檳榔木名無枝實從心生 濱 瀕 濵 顰 頻 水厓也或从頻古作濵頻顰 蠙 水蚌也莊子蛙蠙之衣 嬪

婦也周禮嬪貢鄭司農讀 鰭 魚名 獱 獺屬似狐青色居水中食魚 憦 心伏也 ○ 頻 顰 瀕 毗賓切說文水厓人

所賓附頻蹙不前而止古作顰或从水一曰頻數也亦姓文二十七 顰 卑 說文涉水顰蹙亦作卑 嫔 姿也 嚬 笑皃 嬪

嫔 姘 嬪 嬪 說文服也爾雅婦也一曰妻死曰嬪古作嫔姘嬪嬪 𧮐 說文匹也一曰多言 玭 蠙 說文珠也引宋弘云

臣 [illegible]

[illegible]

神 [illegible]

人 [illegible]

辛 [illegible] 新 [illegible] 薪 [illegible] 信 [illegible]

申 [illegible] 伸 [illegible] 莘 [illegible]

津 [illegible] 盡 [illegible]

集韻平聲二　二十七

秦 [illegible] 螓 [illegible] 蓁 [illegible] 溱 [illegible] 榛 [illegible]

儐 [illegible] 賓 [illegible] 濱 [illegible] 繽 [illegible] 檳 [illegible] 鑌 [illegible]

嬪 [illegible] 玭 [illegible] 蠙 [illegible] 顮 [illegible]

循 蹲循逡巡也 楯 木名 脣 驚也 陙 小阜 帾 布載米 酏 酒厚也 楯 杶也 麇 牝麇

紃 采也 鶉 鷂屬 純 門名春秋傳有純門 ○ 犉 濡純切黃牛黑脣曰犉 文六 䧼鶉 鳥名鷂鶉也或从鳥 撋 拭也

瞤𥌒 說文目動也或作𥌒 ○ 荀 須倫切說文艸也亦姓 文三十 橁 說文杶也 栒 木名可為鉏柄 詢謼

咰 春秋傳浴親為詢或作謼咰 栒 邑名在扶風一曰木名 㝑 驚也 恂悛 說文信心也一曰均也樂也慄也或作悛通作詢

洵 說文渦水中也一曰水名一曰信也揮涕也 欨𣱥 欨款喜皃一曰氣逆也或从气 眴旬 目眩也或省 姰 狂也 郇

說文周武王子所封國在晉地又姓亦作郇 峋 嶙峋山形 帕 希也 珣 說文醫無閭珣玗琪周書所謂夷玉一曰

器 畇畇𤳅 爾雅畇畇田也郭璞曰墾辟或作畇𤳅 檈 圜案也 旬 徧也 絢 采成文曰絢 鴝 鶁鶉鳥名

鶁鶉也 皴 足坼曰皴 葰 闕人名魏有韓葰 ○ 逡遁𢓜 七倫切說文復也爾雅退也一曰逡巡行不進亦作遁𢓜 文十八

夋 說文行夋夋也一曰倨也 竣踆𡕴 說文偓竣也引國語有司已事而竣博雅止也伏也或作踆𡕴 埻蹲

士舞也埻埻舞皃或从足 僎 介僎也 㕙 兔狡者㕙 捘 廣雅按也一曰推也 皴 說文細皮起也 悛 改也 䞭 說文行䞭䞭也

嶟 嶟嶟竦峭皃 褨 袴裯曰褨 蹲 喜皃 ○ 遵𡮠 蹤倫切說文循也古作𡮠 文八 跧 蹴也 僎 鄉飲禮輔

主人者 嶟 山銳也 鷷蹲 爾雅雉西方曰鷷或作蹲 恮 謹也 ○ 旬㫬 松倫切說文徧也十日為旬古作㫬 文四十一

巡䡅 說文視行皃或作䡅古通作徇 𧺆 說文走皃 循 說文行順也 恂 恂恂善誘也 洵 爾雅均也 馴 說文

馬順也衛宏通作駲 駹 馬逆毛 𤘩 牛行遲皃 駨 駨鶉小鳥名 揗 博雅順也一曰摩也 緍 縫也方言繞緍謂之襟裗郭璞

曰謂衣楯脊 紃絢約 說文圜采也一曰條也儀禮作絢約 㡒袧 領耑也或从衣 畇畇𤳅 墾田皃或作畇

畱 甽 山下受霤處 灥 說文三泉也 楯 欄檻也 姰 博雅狂也 殉 貪也尚書殉于貨色徐邈讀 訓 道也周禮

土訓鄭司農讀 遒 逡遒縣名在淮南 峋 嶙峋深無厓皃 迿 先也公羊傳朋友相衛而不相迿 㵑 流皃史記汗出㵑㵑

徇侚𠣔 使也一曰徧示或作侚𠣔 蚼 蟲名 鬊 亂髮也 眴 眴卷縣名在安定郡 橁杶 說文大木可為鉏柄

或作杶 梭 木名 ○ 鵔 從倫切西方雉名 文一 ○ 屯 株倫切說文難也象艸木初生屯然而難易屯剛柔始交而難生一曰厚也 文八

邅 邅也 窀 說文葬之厚夕引春秋傳窀穸從先君於地下一說長理謂之窀長夜謂之穸 邨 地名 棆 木名說文母杶也 𨘸

不行也楯說文載米斷也駗馬載重難行也○杶櫄杻橁敕倫切說文木也引夏書杶榦栝栢或从
熏亦作櫄杻橁通作椿文十九椿木名櫄也莊子大椿𨋎輴楯軥輇說文車約輴也引周禮孤乘夏輴一下棺車或从盾
从木从旬从全楯一曰案也鶞鶽鳥名爾雅春鳸鳷鶞或从隹瑑瑃玉名或从春芚无知皃莊子聖人愚芚李軌讀
楯廣雅斷也𧻓走皃欙禹治水所乘者通作輴○醇重倫切純酒文二楯斷也○倫龍春切說文輩也一曰道
也又姓文二十六論言有理也綸青絲綬一曰邑名亦姓惀欲知皃一曰思也掄擇也周禮邦工掄材踚博雅遠踚行也
淪說文小波為淪引詩河水清且淪漪一曰沒也侖𠎵𠓩說文思也籀作𠓩陯山阜陷也棆木名似豫章爾雅棆無疵
輪說文有輻曰輪無輻曰輇𦨖船前桄也䈁篇子船具鯩魚名山海經來需之水多鯩魚黑文狀如鮒蜦蜧說文蛇屬
黑色潛於神泉能興風雨或作蜧碖石也菕艸名腀皮也𤟤獸名崘崑崘山名溣水名崘崘峮山皃
耣耕也○因捆𡆸伊真切說文就也徐鍇曰能大者衆圍就之一曰仍也又姓或作捆古作𡆸文四十二姻婣
𡝩說文婿家也女之所因故曰姻或作婣籀作𡝩諲噻敬也或从口歅闕人名秦穆公時有九方歅禋𥛷禋
禋說文潔祀也一曰精意以享為禋籀作𥛷或从因古作禋絪烟氤絪縕天地合氣也或作烟氤緸緸宛搖動皃
𦶎𦶎藘香艸通作茵裀博雅複襂謂之裀茵鞇𥮉說文車重席司馬相如說茵从革或作𥮉通作絪垔
陻堙𡏖𡎸說文塞也引尚書鯀垔洪水或作陻堙𡏖籀作𡏖古作𡎸闉說文城內重門也引詩出其闉闍湮
說文沒也爾雅落也通作洇洇水名駰說文馬陰白雜毛黑引詩有駰有騢湮洇寒皃或从因𦍺䍽黑羊或从
因欭欭歍嘅也硱山名山海經東山之南有硱山栶木名筃竹名稛禾華也壹壹壺不得泄也○
寅𡇄𡨹寅𡩀夷真切說文髕也正月陽氣動去黃泉欲上出陰尚強象宀不達髕寅於下也古作𡇄𡨹寅𡩀文十一
夤𡩼說文敬惕也引易夕惕若夤籀作𡩼䏲夾脊肉也通作夤鏔博雅鏔矛戟也螾蟲名寒蟬也寅說文兎爪
也𡌲場也○𥖝下珍切難也文三𧬧博雅𧬧誑欺也𧷟多才也○勻俞倫切說文少也一曰均也文八
畇墾田也馴道也𡖳周也汮水名昀日光也𨒫行也尚書巡守徐邈讀䂜石也○鈞𨥫
規倫切說文三十斤也一曰陶旋輪古从旬又姓或書作𨥫𨥫𨥫文十六均旬勻說文平徧也周禮作旬或作勻通作鈞亦書作𡊅

共簠簠 鮒小魚名莊子守鮒鯢 鵏鳥膺前 ○蘇孫租切艸名說文桂荏也一曰薪艸曰蘇摯虞曰鳥尾也所謂流蘇者緝鳥尾垂之若

流然亦姓又州名文十三 穌說文把取禾若也一曰死而更生曰穌通作蘇俗作甦非是 廯博雅廜廯庵也 酥䣐䣐

䱚酪屬或作蘇酥䱚 䟽粗也鄭司農曰䟽食菜羹 𤻮病也 擸摸也 𩸞𩸞爛也或作𩸞 櫯木名可染

○麤𪋻聰徂切說文行超遠也从三鹿篆从土或作麄俗作𪋻麁皆非是文十 粗犓大也䟽也物不精也或作犓通作麤俗

作䴸非是 跛博雅䟗跛也 趚淺度也 蔍說文艸履也 怚心不精也史記怚而不信人通作粗 駔馬壯 ○租

宗蘇切說文田賦一曰畜也文八 怚劇也 𧾤走也 苴葙鉏茅藉祭也或作葙鉏 湫鬭人名春秋傳魯有子服湫

柤柤中地名在淮南 ○退徂遳叢租切說文往也退齊語或从彳籀从虘文十四 殂𣦸𣧛𣧛

殂說文往死也引虞書放勛乃殂古作𣦸𣧛𣧛殂 虘虎不柔 且語辭詩匪我思且 豠博雅豕也 阼主階 葙蒩

蒩茹艸名生下田可食或作葙 ○都𦬅東徒切說文有先君之舊宗廟曰都引周禮距國五百里為都一曰揔也大也嘆也美也亦姓古作𦬅文十二

闍堵說文闉闍城門臺也或从土 䝬賭勝曰䝬 醏醬也 肚胍肚大腹皃一曰推之大者故俗謂仗頭大為胍肚關中語訛為胍

檛 𩌏牛牽舟謂之𩌏 䈞竹名 瀦停水 𦺬艸名 𩴾山鬼 ○瑹璪通都切美玉或作璪文十九 瑦

瑦玉名山海經小華山其陽多瑦琈或作瑦 𡾰山名 庩庩屋不平 稌稻也 梌木名說文木出橐山 悇憛悇禍福未定

也一曰憂也 𧻓趚趡伏也 𩋝鞾𩋝屧也 樗惡木 唋吐也 𡋿𨻐坼也或从阜 䣝郿下邑 睮日陰也

䤍醬䤍醬也 捈博雅引也抒也 ○辻徒同都切說文步行一曰空也衆也隸也亦姓隸作徒文五十六 途墿爾雅路旅途也

或作墿通作塗涂 塗泥也亦姓 嵞峹說文會稽山一曰九江當嵞也引虞書予娶嵞山或省亦書作峹 涂說文水名出益州牧

靡南山西北入澠 鍍以金飾物通作塗 荼𣘻說文苦荼也一曰茅秀郭璞曰茶樹小似梔子冬生葉可煑作羹飲今呼早采者為茶晚取者為

茗一名荈或作𣘻 蒤艸名爾雅蒤虎杖 稌𥝳禾穗曰稌或从斜 梚梌木名楸也或作梌 筡篴說文折竹

筤也或作篴 圖圖說文畫計難也一曰謀古作圖俗作啚非是 屠說文刳也亦姓 瘏說文病也引詩我馬瘏矣 廜𢊁

博雅廜廯庵也一曰屋平曰廜或省 酴說文酒母也 䤍醬䤍醬也 駼獸名說文黃牛虎文 駼鵌爾雅鳥鼠同穴其鳥為駼或作

鷋 跿𨆬跿跔跣也或从徒 鵌鳥名爾雅鵌鷵鸕似烏蒼白色 菟䖘檡兔春秋傳楚人謂虎於

畱畇敂 墾田也或作畇敂 汮 水名出沂縣 袀 戎衣也偏裻謂之袀通作均 純 鄭司農曰緣也 蚐 蟲名馬蚿

也 姰 說文鈞適也男女併也 苭 藕小者苭 趜 走皃 妗 女始姓也 ○巾 居銀切說文佩巾也一曰首飾或从衣文

六 衶 以巾覆物也 帥 㪷也二十杖曰帥 弞 弰也 㲋 險也 ○堇墐墓萳 渠巾切黏土也

或从土古作墓墓帝文十四 墐 拭也 矜矝穜 說文矛柄也或作矝穜通作穜 橦 木名 魿蚙 蟲連行紆行者或从虫

新 博雅黏也 坳 土塈也 ○趣 渠人切行皃文一 ○緊 乞鄰切稔也文一 ○銀 魚巾切說文白金也又州名文三十

珢 說文石之似玉者 浪 水名山海經禱過之山浪水出焉 鄞 說文會稽縣 圁 縣名在圁水之陰因以為名 齗 大麃也爾

雅通作沂 誾訔 說文和悅而諍也一曰語也或从山 訔 山名 言訮 鄭康成曰言言和敬皃亦作訮 嚚䛜𡑃

說文語聲也春秋傳口不道忠信之言為嚚古作䛜𡑃 狺犷 犬吠聲楚辭猛犬狺狺或从斤 狠 犬鬬聲 䖗 獸名如貉八目

虤 說文兩虎爭聲 菦 說文艸多皃江夏平春有菦亭 㮯 木名 垠圻墾 地垺也岸也或作圻墾通作泿沂 釿

沂 器之釿鍔或作沂 𪗁齗 笑露齒 㹞 地名春秋會于厥㹞 蛝 馬蛝蟲名 沄 沄淪水回旋皃 ○咽𪔇

鼘鼘 於巾切鼓節也詩鼓咽咽或作𪔇鼘鼘鼘亦書作鼘文九 駰 馬陰白雜毛黑者 𡔞 壹壺不泄 鄄 縣名在濮陽 慇

𣪠 又憂也亦省 ○贇 紆倫切美皃文八 頵 說文頭頵頵大也 𡔞 壹壺不得泄者也 𡖌 𡖌濴水深廣皃 涒

涒鄰水流曲折皃 蝹 蝹蝹龍皃 峮 峮嶙山皃 駰 馬陰白雜毛黑 ○筠 于倫切竹青皮文九 苭 藕紹也爾雅苭茭 涓

水名出南陽入夏水 囷 說文回也一曰意不足 緼 說文持綱紐也引周禮緼寸 隕 墜也 尹 孚尹玉采 筍 弱竹可以為席也

貟 闕人字春秋傳有子貟 ○囷 區倫切說文廩之圜者圜謂之囷方謂之京文十七 菌 本艸菌桂出交趾貟如竹 箘䇹

筤 竹名或从君从昆 蜠䐃 貝也爾雅蜠大而險或从貝 峮 峮嶙山相連皃亦从囷或書作峮 輑 車軸相連曰輑

壼𡓿 爾雅宮中衖謂之壼或作𡓿 頵 權骨也 蘊 地蕈之小者通作菌 磳 磳磳石危皃 卷 朐卷縣名在安定

皸 皴也 ○麇麕麏 俱倫切說文麞也或从囷从君亦國名文十四 莙 艸名爾雅莙牛藻似藻葉大 頵 頭大皃

洵 水名 龜 手凍坼也莊子不龜手之藥 僎 輔主人者 覠 視也 趜 走皃 纀䌰 束也或作䌰 涒 涒潾水旋

流 峮 峮嶙山皃 ○畱 舒均切墾田皃文一 ○蜵 一均切蜵蜎蟲名文三 淵 深皃 鼘鼘 鼓聲 ○竣踆

㚇壯倫切伏皃或作踆㚇文三○𢘻巨旬切憂也文二赹獨行皃○天鐵因切顛也至高無上文二○年禰因切穀
一孰也文一○苓戾因切艸名文一○顛典因切頂也文一○田地因切樹穀曰田文一
十九○臻緇詵切說文至也通作轃溱文十七轃說文大車簀也搸琴瑟聲也聚也亲𣝂樼說文果實
如小栗引春秋傳女摯不過亲栗或从𣏟亦作樼通作榛榛蓁說文木也一曰菆也或作榛峷獸名狀如狗有角文身五采司馬彪說
潧說文水出鄭國引詩潧與洧方渙渙兮通作溱淨溱說文水出桂陽臨武入匯淨魯城北門池也瀙字林水名在豫州
鋠小鑿也蓁說文艸盛也殝死也責求也春秋傳西鄰責言○莘葉辡疏臻切姺地名又姓或作葉辡通作
㜪文三十四㜪嫀有㜪國名或作嫀㚬女字姺說文殷諸侯為亂疑姓也引春秋傳商有姺邳𤸰說文寒病也𡷫
獸名狀如狗通作峷侁侁倅說文行皃或作侁倅兟說文進也屾說文二山也甡說文衆生並立之皃引詩甡甡其鹿
毨罽布也辡𨐨博雅辡辡多也或从林通作莘辡𨐨羽多𦬻艸名詵說文致言也引詩螽斯羽詵詵兮𥳑
簞也駪說文馬衆多皃𩧢說文衆盛也引逸周書疑沮燊說文盛皃从焱在木上一曰役也一曰火熾皃梓方言杼杠東齊海岱間謂

大二十一 小七卄 集韻平聲二 三十三 葉

之梓𥹳𥺊粉滓也粥凝也或从先𥻗麻滓𣂗說文從上挹也博雅揗抒滅也阠陵名𩶋𩵽魚名長尾皃或省鮮
通作莘𥞦穀名廣雅𥞦𥞦也○榛蓁鋤臻切木叢生曰榛或作蓁文八侁往來皃殿殿殿動而喜皃淨魯北
城門池帘幕也棧衆盛皃漢書蓁棘棧棧𣏌木名○瀙楚莘切水名文一
二十○文無分切說文錯畫也象交文亦姓又州名文三十一彣說文馘也一曰青與赤雜古通作文紋織文玟彣
玉文或从彣魰魚名炆熅也駇說文馬赤鬣縞身目若黃金名曰駇吉皇之乘周文王時犬戎獻之引春秋傳文馬百駟畫馬也西伯獻
紂以全其身或書作駇𢿕字林麋上汁一曰以手拭物汶水名在魯北鼤班鼠鳼𨾵鳥名爾雅鶉子鳼或从隹聞
䎽𦖞𦗖說文知聞也古作䎽𦖞𦗖閿說文低目視也弘農湖縣有閿鄉汝南西平有閿亭閩𨵈東南越名或从蟲
𧓉𧒟蚊蟁說文齧人飛蟲或从昏以昏時出也亦作蚊蟁鴖鴖母鳥名紊亂也尚書有條而不紊徐邈讀
雯雲成章曰雯鳻鳥名山海經玄母之山有青鳻芠艸名妏女字○𡴆芬敷文切說文艸初生其香分布或从屮亦
姓文三十雰詩傳雰雰雪皃氛祥氣也通作雰𢃀說文楚謂大巾曰𢃀或書作帉通作紛翂鳻𦒃翂翂飛也或从鳥亦

[illegible] 雯 [illegible] 紋 [illegible]

雯 [illegible] 蚊 [illegible] 芠 [illegible] 蚊 [illegible] 鴍 [illegible]

[illegible] 闅 [illegible] 閺 [illegible] 閿 [illegible]

[illegible] 魰 [illegible] 駮 [illegible] 蚉 [illegible]

二十〇文 [illegible] 蚊 [illegible] 瘟 [illegible] 汶 [illegible] 紋

[illegible] 鼤 [illegible] 樠 [illegible] 榛 [illegible] 莘 [illegible] 侁 [illegible] 駪 [illegible]

[illegible] 榛 [illegible] 蓁 [illegible] 溱 [illegible] 籸 [illegible] 辛 [illegible] 莘 [illegible]

[illegible] 山 [illegible] 甡 [illegible] 䢾 [illegible]

[illegible] 蓁 [illegible] 責 [illegible] 辛 [illegible] 華 [illegible]

十九〇莘 [illegible] 華 [illegible] 桊 [illegible]

[illegible] 本 [illegible] 頁 [illegible] 田 [illegible]

[illegible] 天 [illegible] 年 [illegible]

作𤝕通作紛 毰毰毛落也 紛說文馬尾韜也一曰衆也亂也 砏大聲也 訜訜詥語不定 梤橎棻

說文香木也或作橎亦省 衯說文長衣皃或書作衮 闠閅說文闠連結闠紛相牽也或作閅 馚馬行疾皃 鳻鳥名爾雅春鳸

鳻鶞 份文質備也 幩馬扇汗 岔隱岔丘高出皃 玢玢豳玉文理皃 扮幷也太玄以扮天十八 羒牡羊也 [illegible]躄也

[illegible]心亂 [illegible]亂皃通作紛 炃火皃 ○分匪方文切說文別也从八刀刀以分別物也一曰與也周禮作匪文二十四 鳻

說文鳥聚皃一曰飛皃 扮曰握也 衯衣大謂之衯 [illegible][illegible]罽也 餴饙[illegible][illegible]說文滫飯也或从賁

或省亦作餴 [illegible]谷名在臨汾 玢玉文也 坌[illegible][illegible]拚[illegible][illegible]掃除也或从糞或作坌拚弅

糞古作坌 汾水名在太原 毰毛落也 忿中謂之忿 昐日光也 賁飾也 ○汾符分切說文水出太原晉陽山西南入河

或曰出汾陽北山冀州浸文七十一 枌說文榆也一曰榆之先生葉後生莢者 魵魚名出薉邪頭國郭璞曰小鰕 [illegible]谷名在臨汾

妢妢胡胡子國在楚出美笄者 毰毛落也 鼢蚡[illegible]鼠名行地中者或从虫从賁 鳻鳻鶞鳥名 棼說文複屋

棟一曰亂也 賁大也三足龜也 蕡說文雜香一曰屮木多實 濆說文水厓也引詩敦彼淮濆一說汝為濆大水溢出別為小水之名通作墳

橨木名枰仲也 鐨鐵也 轒說文淮陽名車隆穹為轒應劭曰轒輼匈奴車博雅以為柳車 羵羵羊土神名 焚燓

炃燌燔火灼物也或作燓焚燌古作燔 鼖[illegible][illegible][illegible]說文大鼓謂之鼖鼖八尺而兩面以鼓軍事或作

韇鼓賁敱 秎穦也關中語 坋大防也 [illegible]牡牛也 墳隫說文墓也方言冢秦晉之間謂之墳取名於大防亦作隫 幩

說文馬纏鑣扇汗也引詩朱幩鑣鑣 羒說文牂羊也 豶獖說文羠豕也或从犬 鷬[illegible][illegible]鳥名如鵲三目六足或从隹亦

省 梤橎棻香木也或作橎亦省 頒朌[illegible]大首皃一曰衆皃或从肉亦作[illegible] 鳻鳥聚皃 帉大巾亦書作帉

[illegible]醜也 氛雰[illegible]說文祥氣也或从雨亦作[illegible] 黂萉枲實也亦作萉或書作黂通作蕡 撌拭也 [illegible]

黺葐博雅黺盆香也或作黺葐 芬艸初生香分布 蹯獸跡 分[illegible]地名劉伯莊說 盆闕人名春秋傳劉獻公之子伯盆

弅丘高起皃莊子隱弅之丘 紛紛縕亂皃 [illegible]師賁弦也 [illegible][illegible]秫也 蒶蒶蒀蘊積也 蟦蟲名蛇蟦水母 [illegible]罽也

翂飛皃 [illegible]水名 [illegible][illegible]沮憂皃熱瘍也 ○雲の王分切說文山川氣也从雨云象雲回轉形古作の通作云

文三十六 云言也語辭也亦姓通作員 芸[illegible]說文艸也似目宿从艸云淮南子說芸艸可以死復生或作[illegible] [illegible][illegible]耘

[illegible]

秐說文除苗間穢也或从芸从云亦作秐通作芸　熉黄皃　妘嫄說文祝融之後姓也一曰女字古从鼎　鄖䢵說文漢南

之國漢中有鄖關亦作䢵　溳說文水出南陽蔡陽東入夏水　澐說文江水大波謂之澐　䝾紜說文物數紛䝾亂也或从糸　愪

說文憂皃一曰動也　耺耳中聲　眃眩眃視不明皃　沄說文轉流也　蕓[艹負]蕓薹胡菜或从負　橒木名　貟

鼏物數也籀作鼏　[言云]訜[言云]語不定　縜持綱細　篔䉙篔簹竹名或从雲　囩回也田十有二頃謂之囩　[口員]

博雅吐也　韗韗鼓工或从韋　鄆沁水鄉名　○熅於云切說文鬱煙也文十七　壺說文壹壺也从凶从壺不得泄凶也引易

天地壹壺　涒涒灘水皃　揾沒也　氳氤氳氣也　緼說文紼也一曰亂麻　䅇　馧蒀蒀馧香也或从香从艸　蒕

積也　蝹蝹蝹龍皃　[車宂][革宂]說文大車後屬也或从革　媪女字　轀轒轀匈奴車　瘟瘟瘟小瘇皃　莙艸名牛藻也

○熏熏許云切說文火煙上出也从屮从黑屮黑熏象也隸作熏俗作燻非是文二十二　薰說文香艸也　纁纁

[衣熏][穴熏]說文淺絳也或从衣亦作[穴熏]　曛日入餘光　矄目暗也　獯獐獯鬻匈奴別号或作獐通作葷　醺

說文醉也引詩公尸來燕醺醺　臐臛也羊曰臐　勳勛說文能成王功也古作勛　葷[艹熏]說文臭菜也或作薰通作焄　壎

大一〻二十二　小七〻二十

集韻平聲二　三十五　正

樂器　焄香臭之氣也禮焄蒿悽愴　鐼鐵類　[鼓熏]鼓鳴謂之[鼓熏]　煇灼也史記斷戚夫人手足去眼煇之　○君𠱂

𠱃凮拘云切說文尊也从尹發號故从口一曰羣也古作𠱃唐武后作凮文十八　宭羣居也　莙艸名牛藻也

箘竹名　桾桾櫏木名出交趾　鮶水鮶蟲名似魚　麇麏麕麇也或从囷亦省　軍㝈說文圜圍也四千人

為軍从車从包省軍兵車也周制萬二千五百人為軍古作㝈　皸博雅皸皴皮也　[豕軍]豕也　揮弋在牆曰揮　○羣羣𦏺

衢云切說文輩也一曰獸三曰羣亦作𦏺古作𦏺或書作群文十三　帬裠說文下裳也或从衣亦書作䘟裙　郡地名　宭說文羣居

也　峮嶙峮山皃或書作峮　瘒𤺱痺也或从羣　[羣攴][君攴]說文朋侵也或省　麇羣也春秋傳求諸侯而麇至　○

輑虞云切軺車前橫木也文一　○卷丘云切縣名在鄭文二　皸皴也　○磒旁君切石落聲春秋傳聞其磒然文一

二十一　○欣俽惞許斤切說文笑喜也或作俽惞文十五　忻說文闓也引司馬法善者忻民之善閉民之惡亦州名

訢說文喜也通作忻　昕說文旦明日將出也　炘熱也　劤多力也　邤地名一曰鄉也　款闕人名曹有公子款時

掀舉出也　昕視不明皃　訢大言也　斤斤斤仁也　妡女字　○殷於斤切說文作樂之盛稱殷引易殷薦之上帝一曰中也

欣 也舉出 明 明暖見不諦 諦 也大言 介 斯 ○鄞 [illegible]

訢 說文喜也 昕 日將出也 炘 熱也 欣 [illegible]

二十一○欣 [illegible] 文十五 [illegible] 祈 [illegible]

轄 [illegible] ○ 巻 [illegible] ○ 稹 [illegible]

豈 [illegible] 殷 [illegible] ○

[illegible] 君 [illegible] 軍 [illegible]

[illegible]

[illegible]

○ [illegible]

[illegible]

[illegible] 圖 [illegible]

[illegible]

大也衆也亦商別號因以爲姓文八 慇說文痛也 濦㶏溵說文水出潁川陽城少室山東入潁或从隱从殷 蒑菜名 磤

砏磤聲也 㥯憂也 ○斤 釿舉欣切說文斫木也或从金一曰斤權輕重之數一曰明也文十 筋笏腱腹

肋說文肉之力也从竹竹物之多筋者又姓古作笏或作腱腹亦省俗作筋非是 篁竹名通作斤 𣂪黏也 墐拭也婧也 ○

勤渠巾切說文勞也通作廑瘽文十八 廑𢊍說文少劣之名或从勤 懃愍懃委曲意 慬𢥞憂也或不省

瘽說文病也 芹菦說文楚葵也今水中芹菜亦作菦 蘄藥艸廣雅山蘄當歸 穜矜矛柄也或作矜 近說文菜類

蒿 劤漢侯國名 堇菫𦰩說文黏土也古作菫𦰩 嫤女字 ○ 虓魚斤切說文虎聲也文二十五 斦說文

二斤也 齗齦𪗃說文齒本也或从艮从言 垠圻𡐛說文地垠也一曰岸也或从斤从𡐛 訢䜣薪

大篪或作䔢薪通作沂 蘄艸多皃 麎獸名 犾說文兩犬相齧也或書作狀 狠犬鬬聲 犷狺說文犬吠聲或从言

鄞縣名在會稽 沂水名 圁縣名在西河 听笑皃 訢訢渝水旋流皃 誾和悅而諍 齗齒出皃 釿

平木具 ○ 榗所斤切䇾版文一

二十二 ○ 元愚袁切說文始也首也又姓文三十九 厵原源說文水泉本也或从泉亦作原源一曰再也又姓亦州名

邍說文高平之野人所登通作原 沅說文水出牂牁故且蘭東北入江 魭魚名 邧地名在秦 阮五阮關名在代 嫄說

台國之女周棄母字也 謜徐語 㥳測量也 䬧方言餌謂之䬧 㹉山海經乾山有獸狀如牛而三足名曰㹉 騵爾雅騵馬白腹

騵 羱獸名爾雅羱如羊 豲獂博雅獂豕屬或从犬 蒝說文艸木形一說莖葉布曰蒝 芫藥艸說文魚毒也 杬木名

生南方皮厚汁赤中藏卵果 䲊鳥名 榞木名實如甘蕉皮核皆可食 黿魭黿黿說文大鱉也或作魭黿黿通作蚖

嵃崟嵃山巔或書作嵃 蠠𧒍䘒螈重蠶爲蝂或作𧓍蚕蝂通作原 蚖螈說文榮蚖蛇醫以注鳴者亦作螈

傆慤也 愿慤慎也周禮上愿糾暴劉昌宗讀 笎竹名 𪖸鼠名 妧女字 ○ 袁于元切說文長衣皃从衣叀省聲又姓文三十

爰說文引也謂引詞也一曰于也又姓 援說文引也 媛嬋媛牽引皃一曰美也 趄說文趄田易居也通作爰 園說文所以樹果

也又姓 垣𡒄說文牆也又姓古作𡒄 洹說文水在齊魯間 溒水流白又姓 轅說文輈也籀通作爰又姓 榬𥱬

方言榬籰所以絡絲者或从竹又姓漢有榬終古 楥木名柳一曰欄也 湲潺湲水流 蝯猨猿𧳅犺說文善援禺屬

集韻 二 平聲二 三十八

一曰鳥黃色出江淮文二蔫博雅蔫菸𦺋也○䉀腱筋渠言切字林筋鳴也或作腱筋文十攓說文相援也

赶說文舉尾走也犍犍為郡名或作𤛇揵舉也卷曲也攑標也○翻飜拚孚袁

切博雅翻翻飛也或从飛亦作拚文二十二䪻群也䪻平方也璠璵璠玉名旛說文幅胡也謂旗幅之下垂者播堅木不華而實

旛說文書兒拭觚布也一曰幟也繙繽繙風吹旗也繙絖亂也襎襎裷帳也番數也轓博雅轓箱也瀿說文大波也

鐇博雅稚也一曰廣刃斧潘瀿米瀾也或作瀿嬔兔子覵覵覵暫見𩕰大醜兒嬔兔嬔匹偶反覆也漢書

錄四平反之返回行也扁番也莊子扁然賁山海經桂林八樹作賁隅燔蕃薠艸名也𦪙舟飾也鱕魚名

嬏女字也噃聲也𥳭藩蔽也軬車兩耳出也犿連犿大究轉兒○蘩方煩切說文屛也亦作樊通作蕃文十一

蕃說文艸茂也藩籓𥳭說文大箕也一曰蔽也或从巾亦省轓車稚也一箱曰鏟也鱕南越志鱕魚鼻

有橫骨如鐇海船逢之必斷犿抃連犿究轉兒一曰相從兒或作抃橎木名勫健也○煩符袁切說文熱頭痛也一曰勞

也文六十三𢴍𢴍擱捼也通作煩𩕰𩖀說文大醜兒或省覢𥌯說文覵覢也或省緐多也𦅻樊也或省𦇸

大百卅小七百十丁　集韻平聲二　三十八　郡侍

䋣說文馬髦飾也引春秋傳可以稱旌䋣乎或作緐䋣繙說文冤也一曰亂也襎博雅襎裷帳也袢袢延衣熱詩蒙彼縐絺是

紲袢也旛旗幅下垂者璠說文魯之寶玉孔子曰美哉璵璠遠而視之奐若也近而視之瑟若也一則理勝二則孚勝礬礬石也有白青

黃黑絳五種鐇廣刃斧橎說文木也一曰剛木不華而實墦博雅墦埌冢也或書作墦番蹞蹯𤳉

說文獸足謂之番从釆田象其掌或作蹞蹯古作𤰞𤳉亦書作𩑺𩏽韋裹曰𩏽瓻博雅瓻甎也𦩳膰𥛰說文宗廟火熟

肉引春秋傳天子有事膰焉以饋同姓諸侯或从肉从示燔說文爇也羳說文黃腹羊𤡿說文犬鬭聲鐢說文皀鐢也

蟠蟲名說文鼠婦也𪕶說文鼠也鷭鷭鶓鳥名似鶩雜鷭或从隹𤰞蹯生育也或省笲竹器婦贄棗脩

者蕃說文小蒜也𥞩稲名蕃茂也息也藩蘩艸名爾雅蘩菀藩生山上葉如韭一曰提母或从繙蘋說文青蘋

似莎者蘇蘩說文白蒿也或作蘩䕰說文藩也引詩營營青蠅止于樊通作樊鱕泉名在魏郡潘楚人謂水暴溢為潘

樊說文鷙不行也一曰山邊也亦國名又姓驋驎驋馬蹄不行也𨞊說文京兆杜陵鄉或書作鄱通作樊燓說文燒田也

鱕魚名嬏女字噃聲也䕰艸名𩕰白喙幡拭觚布嬔偶也蕡艸木多實○樠

藩 [illegible] 番 [illegible] 𤄸 [illegible] ○ [illegible]

墦 [illegible] 也 [illegible] 蕃 [illegible]

𤟽 [illegible] 蘩 [illegible] 薠 [illegible] 𧁲 [illegible]

鼠 鼠婦也 說文 𪖰 鼠 說文 鱕 鱕魚名 蕃 說文 黃 [illegible] 也 [illegible]

以讀 同蕃 蕃 林傳 天子 [illegible] 說文 示 [illegible] 番 [illegible] 䉒 [illegible] 黃 說文 大 䉒 [illegible] 也 說文 [illegible]

說文 作 [illegible] 古作 番 [illegible] 書作 [illegible] 番 [illegible] 日 [illegible] 番 [illegible] 番 [illegible]

說文 [illegible] 說文 [illegible] 其 [illegible] 番 [illegible] 也 [illegible] 番 [illegible]

五 轎 䉒 [illegible] 番 [illegible] 木 [illegible] 也 一曰 番 [illegible] 番 [illegible] 青 白

也 [illegible] 番 [illegible] 番 [illegible] 說文 [illegible] 一曰 [illegible] 番 [illegible] 古 [illegible]

細 [illegible] 番 [illegible] 一曰 亂 說文 [illegible] 也 番 [illegible] 番 [illegible]

集韻 平聲二 三十八

十二 也 文六 𩕲 頫 [illegible] 說文 大頭 [illegible] 𩒜 [illegible] 也 說文 [illegible] 𪈲 [illegible] 也 [illegible] 𢿳 [illegible]

有 [illegible] 扸 扸 相從也 或作 [illegible] 一曰 [illegible] 番 [illegible] 一曰 [illegible] 也 一 [illegible]

蕃 說文 [illegible] 藩 [illegible] 說文 [illegible] 一曰 [illegible] 番 [illegible] 文 [illegible]

𡡓 說文 [illegible] 番 [illegible] 藩 [illegible] 𨍭 車 [illegible] 也 [illegible] 扸 [illegible] 木 [illegible] 蕃 [illegible] 文 [illegible]

又 [illegible] 四 [illegible] 返 回 [illegible] 䉒 [illegible] 也 [illegible] 林 [illegible] 旛 [illegible] 番 [illegible]

又 [illegible] 番 [illegible] 一日 [illegible] 也 [illegible] 番 [illegible] 見 [illegible] 反 [illegible] 也 書

番 [illegible] 說文 [illegible] 一曰 [illegible] 番 [illegible] 也 [illegible] 番 [illegible] 也 [illegible] 文 [illegible]

以 [illegible] 文 [illegible] 番 [illegible] 也 [illegible] 番 [illegible] 說文 [illegible] 木 [illegible]

[illegible] 說文 [illegible] 也 [illegible] 番 [illegible] 也 [illegible] 番 [illegible] 孚

[illegible] 文 [illegible] 也 ○ [illegible] 說文 [illegible] 十 [illegible] 說文 [illegible]

槾模元切木名一曰木脂出樠樠然或从曼文九　璊赤玉　樠粥疑　鏝鏝欿上谷亭名　鄤鄭地　𧽍行緩也　饅貪食

摱引也　○拳巳袁切力也詩無拳無勇徐邈讀文二　韏爾雅革中辨謂之韏　○圈去爰切屈木也文一　○𧷸止元切斷首也文一　○棬九元切西棬縣名文一

二十三　○魂胡昆切說文陽氣也亦書作䰟文四十六　忶惃心悶也或从魂　倱人姓　俒完也　䚍角全也

顐䫟顐禿無髮也　覠視也　䐊餛餫粯博雅䐊腪餅也亦作餛餫粯　惃亂也　蜫蟲之總名　䵪

䴷𪍑方言麴也一曰麥不破也或从完从是　掍捆手推之也或从困　渾說文混流聲也一曰洿下亦姓　䫟面急

沄說文轉流也　煇赤也　焜煌也　䡣說文土也洛陽有大䡣里或書作墠　琿美玉　楎木名生南海　梱

棞說文梡木未析也或从困　楎說文六叉犂一曰犂上曲木　輥說文輗軸也一曰輷也一曰車相避謂之輥　驒山海經太行山有獸

狀如騉騱四角而距名曰驒騱　𤟤山犬也人面而毛　緷周禮十羽謂之緷一曰百羽　鼲說文鼠出丁零胡皮可作裘　鞎輥

車革前也或作輥　㶐燉㶐鬱熱皃　鯤大魚名　昆混關人名漢有蜀國公孫昆邪或作混　梡博雅梡技也　芸

香艸　揮揮掄全而不破　婫女字　蔉蔉蒲艸名　○昆公渾切說文同也一曰明也後也又姓文四十四　罤晜

說文周人謂兄曰罤或作晜通作昆　惃博雅惃懃亂也　𣢧𩸋𧥄說文昆于不可知也或作𩸋𧥄　幝褌𢃰裩

說文幒也或作褌幝裩　崐崐崘山名或書作崑　琨瑻說文石之美者引虞書揚州貢瑤琨或从貫　錕赤金謂之錕鋙　焜

服虔曰明也　䓘䓘菎說文艸也或从罤从昆　蚰蜫䐊說文蟲之總名也或作蜫䐊通作昆　鯤

鰥鯤卵爾雅鯤魚子或作鰥鯤卵　騉野馬屬爾雅騉蹄趼善陞甗　箟竹名　猑獸名也大犬也　𪊉鹿屬

鶤鵾鳥名說文鶤雞也爾雅雞三尺為鶤一曰陽溝巨鶤古之雞名或从昆　混緄混夷西戎名或作緄通作昆　鼲博雅鼠屬

婫女字　餛餦餛餅也　䃂鍾病聲　緷百羽也　輥車轂齊等皃　䨪霣齊人謂雷曰霣檑作霣鼎

跟踵也　𦋇罔也　○温烏昆切說文水出犍為涪南入黔水一曰煖也和也又姓亦州名文二十五　昷昷說文仁也从皿以食

囚也官溥說隷省　轀說文卧車也一曰後因載喪飾以柳翣遂名喪車　䮵騉驪良馬　豱爾雅豕奏者豱謂今豱豬短頭皮理腠蹙　緼

赤黃間色　韞韣也　𪉗戎鹽　榅杉也　殟博雅殟病也一曰極也　瘟疫也　鄎鄉名在廣陵縣名在蜀　瓰博雅

集韻平聲二　三十九

跏瓞瓜蜀 蒀 蒀蕰藻水艸 鴑鴑 鴑鴑匹鳥也沈重說 媼 女字 昷 日出而温 蝹 蝹蝹動也 藴 方言饒也 褞 褞褐

衣也 瑥 闕人名晉有翟瑥 榅 根也 熅 㶽 煴煴火微或从恩 ○昏 昬 旦 呼昆切說文日冥也从日氐省

氏者下也一曰民聲古作旦文二十三 婚 𡣍 說文婦家也禮娶婦以昏時籒作𡣍 怋 忯 惽 說文怓也或作忯惽

㱪 㱪㱪不可知也 婚 𡟭 䪾 說文瞀也一曰未名而死曰婚或作婚䪾 閽 說文常以昏閉門隸也 棔 合棔木名俗轉爲合

歡 殙 矜也莊子以黃金注者殙 緡 爾雅綸也一曰合也盜也 睯 悶也莊子惛睯沈屯 㖧 睧睧目所不見也 痻 病也 僭

闇也太玄閽諸幽僭 涽 滑涽未定皃 睧 昬 目暗也亦省 ○坤 巛 𡊺 枯昆切說文地也易之卦也从土从申土位在

申古作巛與文十四 顐 說文無髮也一曰耳門 䫟 大頭 髡 𩬊 說文鬄髮或从元 臗 髖 博雅臗尻也一曰髀上或从骨

豤 𧱔 豤 𧲄 齧也減也或作豲豤豤𧲄 ○刓 刖木枝也 ○倱 吾昆切說文人姓文七 顐 顐頣顐禿也 婫

女字 覰 視也 𩭔 翦髮也 瘒 癡也 棞 木名爾雅髡棞 ○垠 圻 𡉏 五斤切博雅厓也或从斤古作𡉏亦書作

垦文六 泿 水名 痕 博雅腫也 鞎 車革前飾曰鞎 ○奔 犇 𨃊 逋昆切說文走也一曰堂上謂之步門外謂之趍中

大一マ十八 小七マ二十三 集韻平聲二 四十 佺

廷謂之走大路謂之奔古作犇或从足文十四 賁 勇而疾走曰虎賁亦姓 鷬 山海經太行山有鳥狀如鵲白身赤尾六足名曰鷬鷬 驞

𩣷 馬走或从奔 鐼 錛 平木器或从奔 本 喻德宣譽日本走 僨 僨驕不可禁之勢 𪐛 黑也 渀 水急也

蟦 蠐也南方人燔以著 ○歕 鋪魂切說文吹氣也文四 噴 說文吒也一曰鼓鼻 濆 潠水也通作噴也 泍 水急 ○盆

瓫 步奔切說文盎也又姓或作瓫文十 𡽀 山形似瓫 葐 葐蒕艸名 鵏 鳻 鳥名博雅鶝鷭鳻鳩也或省 湓 汾

水名在潯陽一曰水溢也或省 㖹 吐也 衯 衣長好皃 ○門 謨奔切說文聞也从二户象形文二十八 捫 說文撫持也引詩莫捫

朕舌 𣯽 說文以毳爲繝色如虋故謂之𣯽虋禾之赤苗也引詩毳衣如𣯽 璊 玧 琭 說文玉䞓色也禾之赤苗謂之虋言璊玉色如之或

从允从免 樠 說文松心木 䊟 粥凝 虋 蘴 穈 樠 說文赤苗嘉穀也或作虋穈樠 亹 灖 山絕水也

一曰浩亹縣名在金城郡 怋 惽 怋怋不明也亂也悶也或从昏 䫒 䪽 頣 說文繫頭殟也謂頭被繫無知也或从昏亦省

汶 汶濛沾辱也離騷受物之汶汶 蕄 蕄冬艸名通作虋 㛰 瞀也 𧼛 行遲皃 悗 吊服 鸞 山海經崇丘山有鳥

狀如鳧一翼一目相得乃飛名曰鸞鸞 瞞 瞞瞞然慙皃 姄 矜也莊子以黃金注者姄 悶 悶然不覺皃一曰有項閒也 ○孫 蘇昆切說文子

[illegible]

之子曰孫又姓文十六　猻猢猻獸名　搎𢷢捫也或从廾　蓀𦺛荃蓀𧃓說文香艸或从巽亦作荃蓀𧃓

飧餐說文餔也謂餔時食或作餐通作飧　槂公槂木名　蕵𧄫爾雅須蕵蕪郭璞曰似羊蹄葉細或从飧　蟂方言蟂蟂

南楚謂之虰蟂　飧水沃飯曰飧　○村麤尊切捘也聚也通作邨文五　邨說文地名　扨鄉名　澊水名　𧸌𧸌𧸌

鼎欲沸兒　○尊罇墫甎祖昆切說文酒器也从酋廾以奉之周禮六尊以待祭祀賓客之禮或从寸从缶从土从瓦通作樽尊

一曰高稱文十二　鐏戈戟底　嶟山高兒　鷷西方雉名　繜說文薉貉中女子無絝以帛為脛空用絮補核名曰繜衣狀如襜褕

踆蹲也莊子踆於窾水　樽林木盛兒　瀳水至也　○存徂昆切說文恤問也一曰在也文十一　澊水兒　蹲踆

𢓜說文踞也或作踆古作𢓜　鷷西方雉名　踆以足逆蹲曰踆　搎據也　袸衣帶爾雅衿謂之袸　郁洊郰鄏縣名

在犍為或从水　○敦都昆切說文怒也詆也一曰大也勉也誰何也文二十五　惇𪐫說文厚也古作𪐫通作敦　𩟄貪食　墩平地

有堆者　鐓鐏也通作錞　䔻𧂀艸名或从敦　𡼖山兒　驐字林去畜勢也　𩋧石可踞者　𤭁陶器似甌者通作敦

盤盂也　弴張說文畫弓也或从民　𨛿地名　𧝡衣褚　鶉鳥名莊子鶉居而鷇食　蜳𧑄蜳蠢氣不安定也

蟞蟞蝺蟲名青蚨也　錞鐓錞釪如鐘以和鼓或作鐓　犉牛名　橔枯也　𢽿擊也　○暾吞他昆切日

始出兒亦作旽文二十一　憞憞恨心不明也或省　燉火色一曰燉煌郡名　啍哼噋說文口气也引詩大車啍啍隸作哼

或从敦　蟞蜳蜳蝺蟲名似蟬而長或省　燇焞說文明也引春秋傳焞燿天也一曰灼龜炬隸作焞　黗䵯黃色或从

屯　黗博雅黑也　涒汭說文食已而復吐之引爾雅太歲在申曰涒灘史作汭　𦢊脝或省　䏱月光也　䎽視不明

炖風而火盛兒　○屯徒渾切聚也又姓通作敦也文四十一　軘說文兵車也　沌小流兒一曰沌沌愚也　吨吨吨言不明也

忳憂也亂也　訰多言也　䵯黃色　肫飩麨粑肫肫餌也或从食从麥从米　瓟瓝瓟瓜屬　坉艸土

填水曰坉一曰田隴　純包束也詩白茅純束　邨地名　窀塵也犬見穴中也　庉居也　𧰲豚豘𧱏

說文小豕也从彖省象形从又持肉以給祠祀或作豚豘𧱏通作肫　𡲎臎臀𦡪說文髀也或作臎臀臀　啍噋口氣

也或从敦　燉火色　敦大也一曰敦煌郡名　𥳑撉𥳗說文榜也博雅从手或从臀　焞灼龜火也　炖火盛兒

芚木始生兒楊子春木之芚兮一曰菜名似莧一曰愚芚無知兒　閽閽門也　霔大雨兒　䬨風也　遯逃也　囤廩也　○

論盧昆切說文議也文十一 崘說文山阜陷也 崙崑崙山名或書作崙 踚行皃 掄說文擇也 艙舟名 菕菕蘆香艸名 惀說文欲知之皃 侖昆侖天形 婨女名 綸經綸也 ○ 瓲儒昆切使也文一 ○ 黁奴昆切香也文二

渜濡湯也

二十四 ○ 痕胡恩切說文胝瘢也文九 拫 艮 掀博雅拫攎引也或作艮掀 鞎說文車革前曰鞎 榪平量木

肻肻小兒莊子其脰肻肻 跟 䐜足後也或从肉 ○ 根古痕切說文木株也文五 跟 [止艮]說文足踵也或从止

珢石之似玉者 [艮刂]削也 ○ 恩烏痕切說文惠也文六 [衣恩] 煾 爊說文炮肉以微火温肉也或作煾爊亦書作袃 蒽艸名出日南 [恩女]女字 ○ 吞他根切說文咽也亦姓文三 [艸韓]黄色 誾阮也

二十五 ○ 寒河干切說文凍也从人在宀下从茻薦覆之下有仌又姓古作㝐寒文二十八 韓 倝說文井垣也从韋取其帀也隸省或作韓倝一曰韓國名亦姓 邯說之趙邯鄲縣 邗說文國也今屬臨淮一曰本屬吳 汗可汗戎酋稱 [艸寒]艸名爾雅蔵蕮將也郭璞曰今酸漿也 [寒馬]馬多皃 頇顢頇大面皃 韓白韓艸名也 鞁膜 𩎋

大百十七 小六百五十 集韻平聲二 四十二 玞

翰天雞羽有五色者 鶾鶾音肥雉名以祀神通作翰 雗 鵯雗鷽鳥名即山鵲知來事者或省 鶾駮鶾馬名一曰馬毛長也 豻 犴胡地野犬或从犬 虷井中赤蟲 𧐖 螒蟲名蹇蟮蚯蚓也或作螒 駻東夷別種名亦姓漢書有駻臂 𡗢大口也 ○ 頇虛干切顢頇大面文三 鼾臥息也吳人謂鼻聲為鼾 嫨老嫗皃一曰怒也 ○ 看

[倝目]丘寒切說文睎也从手下目或从翰文十 刊說文剟也 栞 栞說文槎識也引夏書隨山栞木或从幵 靬弓衣也乾革也 腯腯腯堅斫也 臤也 漧燥也 頇頭無髮皃 ○ 干居寒切說文犯也一曰澗也水涯也扞也亦姓文二十九 戰博雅楯戰盾也 迁說文進也一曰遮也 忓說文極也 奸 姧說文犯也亦作姧 乾 漧燥也或从水通作干 肝說文木藏也 竿說文竹梃也通作干 杆僵木也 飦燥飯也 攼求也得也 玕 琂說文琅玕也引禹貢雝州球琳琅玕古从旱 幹井上木 盂博雅盂謂之盤 邗越之別名通作干 鄿說文地名 汗餘汗縣名在豫章通作干 芊蔽芊艸名

雗 鳱雗鴠鶡也知來事者或从鳥 旰日行也晚也 虷蟲名一曰犯也 矸石皃䆿㞋歌一曰南山矸 釬器也一曰急也莊子有緩而釬 幹正也 犴野犴獸名 ○ 安於寒切說文靜也又州名亦姓文八 侒說文宴也 鞌說文馬鞁具或書作鞍 [安皿]

集韻平聲二 四十二

博雅盞盞盂也 郪當陽里名 峖山名 侒股也 鴳鳥聲 ○豻犴俄干切胡地野犬或从犬文六 雃鳥名雝鶨也

[illegible]山高皃亦姓或書作謭 忓博雅善也一曰秦晉謂好曰忓 牪止牛也 ○[illegible]𦟛相干切脂肪也或作𦟛文十三 跚

散蹣跚行不進皃或作散 珊說文珊瑚色赤生於海或生於山 姍好也一曰誹謗也 [illegible]竹器 邖地名 戔狹少意

姍闕漢有單于稽侯姍 [illegible]豕名 [illegible]盤[illegible]色下 删削也 ○餐湌囋千安切說文吞也或从水亦作囋俗作湌

非是文九 艬舟名 鱶鰵魚名或省 籛𥳑竹籤也或从粲 穇白穇稻名 ○戔財干切說文賊也引周書戔戔

巧言一曰戔戔多也通作殘文十五 殘餘也 𣦻𣦼說文殘穿也亦作𣦼 賤害物貪財也 𠡬殺害也故从歺从力 [illegible]

[illegible]說文禽獸所食餘也或从戔 帴帬也帴也婦人脅衣也 𥁞博雅盞盞盂也 㥶忮也 𢧵鷙鳥攫急疾皃揚子鷹隼𢧵𢧵

[illegible]艸名 淺水流皃 戕外殺曰戕 ○單多寒切說文大也一曰隻也文十六 襌說文衣不重通作單 殫說文殛盡

也通作單 [illegible]山孤者曰[illegible]或書作[illegible] 丹甘彤說文巴越之赤石也古作甘彤丹亦姓又州名 簞說文笥也漢律令簞小筐

也引傳曰簞食壺漿 匰說文宗廟盛主器也引周禮祭祀共匰主 癉勞病也 [illegible]轒轠車名 鄲說文邯鄲縣 [illegible]胍肶謂之[illegible]

彈射也 勯力竭也 苒艸名 ○灘灘他干切說文水濡而乾也引詩灘其乾矣或从隹文二十一 撣持不堅也

貚獸名貙屬 潬水中沙出通作灘 攤攤手布也或从難亦書作擹 搫搫撥婉轉也 歎嘆太息也或从口

嘽說文喘息也一曰喜也引詩嘽嘽駱馬 譂譂誕言不正 譠方言譠謾惑語 嬗緩也 痑博雅痑痑疲也 幝

敝皃詩檀車幝幝 灘太歲在申曰涒灘通作灘 墠寬也 癉勞病 驒馬青白文曰驒 驙馰驙謂之驙 ○壇唐干切說

文祭場也文三十 [illegible]石壇也 檀說文木也亦州名又姓 彈𢏳丸射也一曰糾也或从丸 撣觸也太玄撣繫其名一曰西南

夷國名 襢爾雅襢裼肉袒也 繟帶緩也 [illegible]疫病 癉風在手足病 僤疾也明也 繵繩也一曰紫色 儃說文

何也 但語辭也辭之固也亦姓 胆口脂澤也 唌嘆也 誕譂誕語不正 聅軍法以矢貫耳曰聅 驙博雅白馬黑脊驙

驒驎驒青驪馬 蟺鼉水蟲名似蜥蜴或作鼉 鱣魚名 貚說文貙屬 鷤雉子 單闕姓也鄭有櫟邑大夫單伯通

作擅 灘爾雅太歲在申曰涒灘 憚驚怛也 [illegible]艸名 躝踰也 ○闌郎干切說文門遮也一曰晚也希也失也文二十五 [illegible]說文

妄入宮掖也通作闌 [illegible]彈[illegible]語不正 躝踰也 讕譋說文詆讕也或从間 㘓方言㘓哰謰謱拏也通作蘭 欄閑也通作

闌欗木名桂類蘭說文香艸也亦州名又姓籣韊說文所以盛弩矢人所負也或从革爛爤光色或从蘭

𦡕朘也襽襴衣與裳連曰襴或省斕斔斒斕色雜也或作斔瀾漣說文大波為瀾或从連灡說文

潘也通作瀾𥻨糷飯相箸爾雅摶者謂之糷或从蘭暕陰乾也○鸈難𪅈𧄒雡

䧔那肝切說文鳥也一曰艱也又姓或从隹古作𪇬𪅈𧄒雡文八䕼艸名○籛子千切姓也文一○𧏹知干切蟲名从展省

文一

二十六○桓胡官切說文亭郵表也一說漢法亭部四角建大木貫以方板名曰桓表一曰木名似柳一曰桓桓威也又姓文五十梡

木名可食出蒼梧瓛說文瓛圭公所執通作桓捖捖摩工治玉也完說文全也丸說文圜傾側而轉者从反仄𠃵說文丸之

孰也𣢺博雅𣢺瘤病也一曰皺𣢺矢藏寏院說文周垣也或作院峘𡵆岏爾雅小山岌大山峘或从丸从完亦書作𡸢

洹博雅洹洹流也一曰水名在齊魯閒汍汍瀾泣皃絙說文緩也紈說文素也綄船上候風羽楚謂之五兩琓補也以桼

和灰而䰍也通作丸芄雚說文芄蘭莞也引詩芄蘭之枝爾雅作雚莞說文艸也可以作蓆萖艸名說文夫離也郭璞曰今西方人呼蒲

爲莞蒲江東謂之苻蘺通作莞萈艸名似堇葉大萑雈艸名說文薍也或省雈說文鴟屬从隹从卝有毛角所鳴其民有旤或名木兔

鸛鸛專鳥名鳩鳩鵜鳥名鳥喙蛇尾萈䍠羦說文山羊細角者或作䍠羦豲獂貆說文逸也引周書豲

有爪而不敢以撅博雅豕屬一曰邑名在天水或作獂貆脘博雅脯也一曰骨胎𣢺鋄𣢺亭名麉鹿三歲也鵍鶾鵍鳥名貆

說文貉之類粯粉餌狟說文犬行也引周書尚狟狟麲女麲也小麥為之一名麲子查說文奢查也皖地名在舒

垣𩫨宣墉也古作𩫨或作宣烷火也蒝艸名○歡懽𪇴孉𡣍呼官切說文喜樂也或从

心古作𪇴或作孉𡣍文一十七囂嚾說文呼也或作嚾讙說文譁也酄𨻶說文魯下邑引春秋傳齊人來歸酄或作𨻶通作讙

驩說文馬名鸛鵍說文鸛專畐蹂如鵲短尾射之銜矢射人或从完鴅鳥名人面鳥喙腸腸吺四凶之一通作鴅今通作驩

貛獾貆貒說文野豕也爾雅狼牡貛亦作獾貆貆貒通作犿𡚁蘿方言始也化也或作蘿犿連犿

相從蠸蟲名守瓜也䑏山海經帶山有獸其狀如馬一角有錯名曰䑏疏𥹳白米巜澮也○寬完枯官切說

文屋寬大也一曰緩也古作完文四髖臗說文髀上或从肉○官𠕐古丸切說文吏事君也从宀从𠂤𠂤猶衆也古作𠕐文二十五倌

二十六○桓

一文

詩傳主駕人也 冠帽 說文絭也所以絭髮弁冕之總名也从冖从元冠有法制以寸徐鍇曰取其在首故从元或作帽亦姓 觀 [illegible]
[illegible] 視也古作[illegible] 悹 憂也亦書作悺 懽 憂無告也 棺 𡩧 說文關也所以掩尸古作𡩧俗作𪉟非是 涫 說文灊也酒泉有樂
涫縣 莞 艸名一曰東莞地名亦姓 鵍 鶤鵍鳥名 雚 鸛 水鳥也或从鳥 [illegible] 竹杆 毌 說文穿物持之也从一橫毌象寶貨之形
貫 穿也易貫魚以宮人寵徐邈讀 管 管人掌館舍之官 雚 艸名爾雅雚芄蘭謝嶠讀 莞 蒲蘠類 [illegible] 艸名 琯 石似玉
○ 剜 刓 烏丸切削也亦省文十四 惋 歎餘也 捥 掔 捥也或作掔 婠 說文體德好也 [illegible] 說文目無明也一曰
廢井 埦 穴也 𧯷 豌 說文豆飴也一曰蹓豆博雅作豌 [illegible] 歎也 蜿 蚖 博雅蜿蜿蝹蝹動也亦作蚖 睕 睕睕深目皃
○ 岏 [illegible] 吾官切巑岏山銳皃文二十三 忨 貪也 [illegible] 蹪[illegible]蹲也 [illegible] 博雅[illegible]骫也 [illegible] 餌也 刓 說文剸也一曰齊也
或作冠 园 抏 圜削也莊子園而幾向方或作抏 [illegible] 再蠶也通作螈 [illegible] 兔子也 [illegible] 野牛名角可爲鞋材 黿 大鼈
貆 貉屬 蚖 毒蛇 螈 原 蟲名蠑螈析易也或作原通作蚖 杬 博雅柦也 羱 [illegible] 羱 野羊名或从原从元
妧 女字 芫 艸名 ○ 潘 鋪官切說文淅米汁也一曰水名在河南滎陽又姓文十 番 番禺縣名在南海 [illegible] 醭[illegible]醬醋敗 [illegible]

[illegible]故瓶也 磻 峙居也 [illegible] 病死也 拌 方言楚人凡揮棄物謂之拌俗作拚非是 播 冢也 嬏 女字 [illegible] 醜也 ○ 播
通潘切博雅輦也一曰部也文九 般 [illegible] 說文辟也象舟之旋从殳所以旋也一曰移也亦數別之名古从攴 褩 衣表也吳俗語 華
籓 說文箕屬所以推棄之器也官溥說呂靜作籓又姓 [illegible] 儲物也 [illegible] 般 [illegible]般筱竹名一曰捕魚笱入而不可出 半 中分也 ○ 槃
鎜 盤 柈 蒲官切說文承槃也古从金籀从皿或作柈文四十二 般 弁 下 爾雅樂也或作弁下通作槃 [illegible] 說文
卧結也 [illegible] 說文轉目視也 [illegible] 說文擊獲不正也一曰除也 蹣 [illegible] 跘 蹣跚跛行皃亦作[illegible]跘 胖 大也禮心廣體
胖 鞶 博雅鞶縈往來也一曰奢也 [illegible] 說文[illegible]下色 瘢 說文痍也 [illegible] 說文覆衣大巾或以爲首鞶 鞶 轂
說文大帶也引易或錫之鞶帶男子帶鞶婦人帶絲或省 縏 小囊 [illegible] 屈足也 縏 緐 絆 馬髦上飾春秋傳縏纓以朝或
作緐 磐 [illegible] 大石一曰山石之安者或作[illegible] [illegible] 大腹 磻 溪名一曰以石著堆繁也 番 番和縣名在張掖郡 [illegible] [illegible]
竹筤一曰捕魚笱 蒰 艸名 [illegible] [illegible]狐犬短尾 [illegible] 山海經北嚻山有鳥狀如烏人面名曰[illegible]夜飛晝伏郭璞曰鵂鶹屬 螌
負盤臭蟲通作盤 蟠 大也曲也委也一曰龍未升天謂之蟠 鄱 趙地名 繙 亂也寃也 瀊 水洄也 拌 弃也 彥

集韻平聲二 四十五

大也常也皤馬作足横行曰皤易賁如皤如董遇說○瞞謨官切說文平目也一曰目不明亦姓文五十一㒼說文平也從廿五行之數

二十分爲一辰㒼㒼平也芇說文相當也漫水廣大皃謾說文欺也悗慢惑也或从曼慲說文忘也一曰慲兜也

顢顢頇大面鬘髮美皃鬗說文髮長也𧝝胡衣蹣踰也墁墁土覆或作墁𧼮行遲也僈

健也鞔說文履空也一曰覆也浼汙也孟子汝安能浼我𩈯塗面㿸皮也曼曼曼長也俗作曼非是𧮙𧮙欲

亭名在上艾䅼偏種皃蔓蔓菁艸名蕪菁也羉爾雅彘罟謂之羉樠木名𥻗粥凝𥼶𥼶𥼶飯澤饅

𪍑饅頭餅也或从麥𨣊䤼醭𨣊醬醋敗或从曼縵𢿭無文也或作𢿭鏝槾墁說文鐵杇也或从木从土

鄤鄤邑名𩅰雨露濃皃獌𤢄𧳋獸名似貍或作𤢄𧳋蟃蟲名鰻𩸁說文魚名或从㒼𥦗穴黑

皃閩蠻別種周禮七閩衊汗也𥊓視也絻連也○酸䤸蘇官切說文酢也關東謂酢曰酸籀从畯文九𪗋

齒酸也痠痛也狻𧳜𪋻說文狻麑如虦猫食虎豹者或从豸从鹿蕵艸名𩅥說文小雨也○鑽祖官切說

文所以穿也文八劗吳人謂鬄髮爲劗𢿟姓也攢治擇也禮祖梨曰攢之通作鑽䡮韊韊說文車衡三束也曲

轅䡮縛直轅暈縛或作韊韊撮乘載器尸子行險以撮○爨七丸切炊也周禮以火爨鼎水也文五竄入穴也攛擲也

鋑刀也穳遥捉矛也○欑徂丸切說文積竹杖也一曰穿也一曰叢木文十六䙡補也穳篹禾聚也亦作篹菆

桽積木以殯或作挫通作欑䡮韊轒車衡三束或作韊轒躦蹲躦踆聚足或作蹲灒水集皃鄼聚居

也百家爲鄼巑巑岏山皃劗剃髮也僔偕也○耑多官切說文物初生之題也上象生形下象其根也文十六端說文直也

一曰正也始也布帛六丈曰端通作耑又姓竱博雅齊也偳闒或曰人名褍𧝒說文衣正幅或从端䅰禾垂曰䅰𥳫

篅竹名博雅箹𥳫桃支也或省𦺭艸名鍴方言鑽謂之鍴剬剸齊也𧢼說文角𧢼獸也狀似豕角善爲弓出胡休多國

媏女字䮞馬名𡸔山名○湍他官切說文疾瀨也文九煓方言赫也一曰火熾盛皃偳闒或曰人名𪐺說文

黃黑色也一說𪐺黇梁四公子名黊䐶黃色或作䐶貒猯說文獸也似豕而肥或从犬褍衣寬也○團

專园塼徒官切說文圜也周禮作專莊子作园太玄作塼通作敦文三十四敦揣聚皃或作揣篿䈄說文圜竹

器也或省𣃔剸說文截也或从刀䬂摶風也慱爾雅慱慱憂也摶𢭏𢸒說文圜也謂以手圜之或省亦

从團

漙霠溥雭漙漙露多皃或作霠或並省㯻大木鄟邑名屬郱鄟磚闕人名鄭有石磚嫥嬪也

鶇鳥名爾雅鶇鶇鷁鶇如鵲短尾射之銜矢射人鷻鶉鳥名說文雕也引詩匪鷻匪鳶或省亦書作鷻糐糰䊜粉餌或从

團从耑蓴艸叢生鱄蟤山海經雞山黑水出焉其中有鱄魚狀如鮒而彘尾音如豚或从虫槫柩車也鏄塊鐵○

渜濡奴官切水名在遼西肥如南入海陽或作濡文二○鸞盧丸切鳥名說文赤神靈之精赤色五彩雞形鳴中五音文二十二

鑾說文人君乘車四馬鑣八鑾鈴象鸞鳥聲和則敬也通作鸞巒說文山小而銳灓濼說文漏流也一曰漬也或从欒亦書作灤

虊欒𦺊說文鳧葵也或从欒亦省欒說文木似欄禮天子樹松諸侯大夫欒士楊一曰曲枅木一曰鍾兩角爲欒亦姓臠癵

臠臠臞也或作癵通作欒𣤶說文欠皃一曰心惑不悟皃矕說文曰旦昏時矕目昏也䜌𤔔亂也理也又南䜌縣名在鉅鹿古作

𤔔𨷿道入宮掖也攣小臣主駕者攣聚也捋也羉彘網也圝圜也孌女字

二十七○刪師姦切說文剟也文八狦博雅狼也一曰惡健犬姍闕單于名潸說文涕流皃引詩潸焉出涕𥳕

博雅箾謂之𥳕姍毀也漢書姍笑三代𨛬地名𢝑嫉利口也○關閞姑還切說文以木橫持門戶也一曰通也亦姓或省俗作

大曰單九 小七曰八十三

閞非是𢇍說文織絹从糸貫杼也瘝病也擐貫也𠰭𡅅喧喧和鳴也或从䜌通作關𥌚𥌚𥌚視皃鉉

所以舉鼎也攔手相關付也太玄攔神明而定摹莞䓴艸名可爲席或从睆𡢓女字○彎閞貫烏關切說

文持弓關矢也左氏傳作關或作貫文十二灣水曲也𠟍削也潹潹潹水深廣𣠱曲木圝圝潫水勢回旋皃𩆜

吳王孫休子名蠻蟡蠻蟲曲息皃𡊇大𡊇里名在洛陽孌女字○檈數還切閞門機也文二栓貫物也○還

胡關切說文復也文三十環瑗說文璧也肉好若一謂之環或从爰又姓鐶金環也鍰說文鋝也引虞書罰百鍰一曰金六兩爲鍰

寰寰內天子畿內也闤市垣也轘轘轅關名在緱氏縣通作環𡊇大𡊇里名在洛陽呂靜說𠟺撲𠟺縣名在武威

澴還水名亦曰澴水潰起皃或从還郇國名周武王子所封又姓㦻說文屋北瓦下一曰維綱也鬟䰎屈髮爲髻翾

禽繞飛也睘睔大目皃或作睔糫𪌉餌也粔籹吳人謂之膏糫或从麥𡓿環堵謂面一堵墻也通作環嬛女字

𩡧說文馬一歲也从馬一絆其足亦書作䮝𢜩羦山海經旬山有獸其狀如羊而無口不可殺名曰𢜩或作羦圜繞也懁

辨急也莊子有順懁而達䴉水鳥名紅白深目目旁毛長亦書作鶦𦣛堅也○跧阻頑切伏也文一○奻尼還切說文訟也文一

○姦𡟤𢘫居顏切說文私也一日偽也或作𡟤古作𢘫文九 菅說文艸出吳林山 蕑蘭也亦姓 菅[illegible]
說文茅也古作[illegible]亦姓 奸犯淫也 諫諍也○馯丘顏切馬青黑色亦姓文四 豻胡地野犬也 鬜寡髮 [illegible]
援也 ○顏𩓫顔牛姦切說文眉目之閒也籀作𩓫或作顔亦姓文六 [illegible]木名 豻胡地野犬 [illegible]嘀嘀爭皃○
[illegible][illegible]吾還切痺也或作[illegible]文三 狠說文犬鬬聲○豩呼關切說文二豕也文二 懁性疾也○班辬逋還
切說文分瑞玉一日次也別也或作辬亦姓文二十三 辬斑𤤼 賁說文駁文也或作斑𤤼古作賁通作般 頒說文大頭也一日鬢
也引詩有頒其首一日賜也通作肦 肦顒類謂之肦 般還也通作班 𩭹鬆半白 扳引也春秋傳扳隱而立之 [illegible]說文賦事
也 鳻方言鳻秦漢之閒其大者謂之鳻鳩 螌說文螌蝥毒蟲也 攽說文分也引周書乃惟孺子攽 [illegible]瑞瓜 磐石文 [illegible]
獸名 玢玉文 彬文采明也 [illegible][illegible]罽也 [illegible]水名出越巂縣 須班也禮笏大夫以魚須文竹○癶扳
癶扳班切說文引也或作攀扳隷作癶亦書作攀文九 眅說文多白眼也引春秋傳鄭游眅字子明或作𥇒 𥇒 盼美目也 眅
爾雅大也 砏砏磤石聲○蠻謨還切說文南蠻蛇種亦姓文十六 鸞[illegible]山海經有鳥如鳬一翼一目相得乃飛名曰鸞或省
大百十三 小六百八十九

獌[illegible][illegible]狼屬似狸或作[illegible][illegible] 謾博雅謾台懼也 槾稻名 鬘髮美皃 [illegible]畫車輪也 矕目暗也
蠻日旦昬也 蔓蔓菁蔬名徐邈說 [illegible]說文行遲也 孌女字 [illegible]當也平也○[illegible]巨班切行傴也文三
犛牛角曲 彎弓曲皃○[illegible]步還切片也文一
二十八○山師閒切說文宣也宣氣散生萬物又姓文五 疝腹痛也 [illegible]地名說文 訕謗也 汕魚撩也
○[illegible]棧山切魚龍身濡滑者或說蛟蜦𩲃人先以黎被之𩲃死者黎著身厚尺許以鐵刮之乃散夏后所藏龍漦是也文一○[illegible]充山切大噬也
文一○潺鉏山切潺湲流水皃文七 虥獸名爾雅虎竊毛謂之虥貓或書作虦 孱弱也 鏟趙魏謂小鑿為鏟 [illegible]
[illegible]髮禿皃 轏轏輚也 壥壥門聚名在睢陽○讕託山切博雅讕謾也文一 虦昨閑切說文虎竊毛謂之虦貓文三
[illegible]窄也呻也 壥聚名○斒逋閑切斒斕色不純也或从并亦作幽文八 璸玢玉文或从分
虨說文虎文彪也或从彬省俗作虨非是 鯿魚名○斕離閑切斒斕色不純或从姦文四 瞯視皃 [illegible]
困湕水皃○[illegible]知山切走藏也文二 譠譠謾欺語○獮丑山切獮貙獸走皃文一○[illegible]除鰥切犬見穴中皃文一○嘫

尼鰥切⿰口垔嘫語聲文二○⿱日難暍⿱日難暖也○癵盧鰥切癵𤸱膝病文一○𤸱渠鰥切癵𤸱膝病文一○閑何間切

說文闌也一曰止也以木距門一曰法也習也文十九閒安也隙也通作閑憪說文愉也一曰靜也或作憪嫺嫺說文雅也

或从閑瞯覵說文戴目也江淮之間謂眄曰瞯又姓或作覵癇癎說文病也或从夕騆䮯說文馬一目白曰騆二目

白曰魚或从閑鷳鷴鳥名說文鴟也一曰白鷳或从閑蕳艸名蛝爾雅蛝馬蝬一曰蝙蝠也一曰蚍蜉子藖博雅藖藖堅也一曰

荎藸艸橌木名慳老人智也○羴虛閑切羊臭也文一○掔丘閑切說文固也引詩赤舄掔掔文二十⿱臤革博雅固確

堅也慳恡也轃說文車轃鉶也遐說文過也⿱臤女說文美也䇂罪也臤說文堅也趧趧蹇行皃顅說文頭顅

少髮也一曰長脰皃覵覸說文很視也齊景公之勇臣有成覵者或作覸鬜說文鬜禿也羥羫羊名或作羫羥

牛䵝下骨⿱雨見見雨而止息曰⿱雨見豣獸名藖艸名肩膞也○閒間居閑切說文隙也一曰近也中也亦姓古作閒

作朋文十三艱囏墐𡏳說文土難治也或作囏墐古作𡏳蕑博雅蘭也又姓覵視也撊揀也

靬黎靬國名硍鍾高聲鉉所以舉鼎澗山夾水曰澗○黰黫黫於閑切黑也或作黫黫文九鄢

赤黑色春秋傳左輪朱殷⿰羊垔說文羣羊相積也一曰黑羊㸶𤛘牛尾包謂之㸶或作𤛘漹水名⿰口垔嘫⿰口垔然語聲○

訮牛閑切諍語也文十一齗𡄛齗齗爭訟也或作𡄛⿰犭間⿰犭閑犬爭曰⿰犭間或从閑通作狠𡄛圁縣名

⿰虎斤說文虎怒也狠獸名嚚語聲羴⿰羊叟羊臭或作⿰羊叟○湲胡鰥切潺湲水流皃文二睆睆睆

窮視皃○嬛逶鰥切容媚也文一○鰥𦋖姑頑切說文魚也一曰丈夫六十無妻曰鰥古作𦋖文七鐶犂釬也

綸說文青絲綬也又姓淪姓也古有泠淪氏瘝病也矜丈夫六十無妻曰矜通作鰥𦋖○瓣薄閑切瓜中實也沇重

說文○頑五鰥切說文㮯頭也春秋傳心不則德義之經為頑文二⿸疒頑痺病

集韻卷之二

集韻卷之二

五福五代堂古稀天子寶

八徵耄念之寶

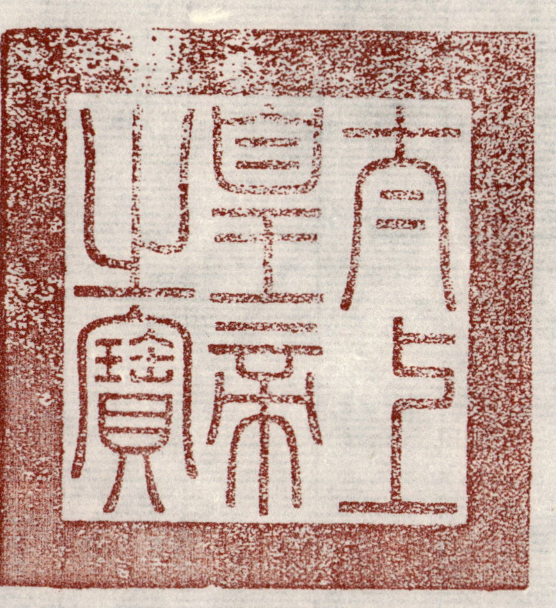
太上皇帝之寶